LOGAR

A

OTHER TABLES

FOR SCHOOLS

BY

FRANK CASTLE, M.I.MECH.E.

Macmillan Education

	0	1	2	3	4	5	6	7	8	9	1 2 3	4 5 6	7 8 9
10	0000	0043	0086	0128	0170						5 9 13	17 21 26	30 34 38
						0212	0253	0294	0334	0374	4 8 12	16 20 24	28 32 36
11	0414	0453	0492	0531	0569						4 8 12	16 20 23	27 31 35
						0607	0645	0682	0719	0755	4 7 11	15 18 22	26 29 33
12	0792	0828	0864	0899	0934						3 7 11	14 18 21	25 28 32
						0969	1004	1038	1072	1106	3 7 10	14 17 20	24 27 31
13	1139	1173	1206	1239	1271						3 6 10	13 16 19	23 26 29
						1303	1335	1367	1399	1430	3 7 10	13 16 19	22 25 29
14	1461	1492	1523	1553	1584						3 6 9	12 15 19	22 25 28
						1614	1644	1673	1703	1732	3 6 9	12 14 17	20 23 26
15	1761	1790	1818	1847	1875						3 6 9	11 14 17	20 23 26
						1903	1931	1959	1987	2014	3 6 8	11 14 17	19 22 25
16	2041	2068	2095	2122	2148						3 6 8	11 14 16	19 22 24
						2175	2201	2227	2253	2279	3 5 8	10 13 16	18 21 23
17	2304	2330	2355	2380	2405						3 5 8	10 13 15	18 20 23
						2430	2455	2480	2504	2529	3 5 8	10 12 15	17 20 22
18	2553	2577	2601	2625	2648						2 5 7	9 12 14	17 19 21
						2672	2695	2718	2742	2765	2 4 7	9 11 14	16 18 21
19	2788	2810	2833	2856	2878						2 4 7	9 11 13	16 18 20
						2900	2923	2945	2967	2989	2 4 6	8 11 13	15 17 19
20	3010	3032	3054	3075	3096	3118	3139	3160	3181	3201	2 4 6	8 11 13	15 17 19
21	3222	3243	3263	3284	3304	3324	3345	3365	3385	3404	2 4 6	8 10 12	14 16 18
22	3424	3444	3464	3483	3502	3522	3541	3560	3579	3598	2 4 6	8 10 12	14 15 17
23	3617	3636	3655	3674	3692	3711	3729	3747	3766	3784	2 4 6	7 9 11	13 15 17
24	3802	3820	3838	3856	3874	3892	3909	3927	3945	3962	2 4 5	7 9 11	12 14 16
25	3979	3997	4014	4031	4048	4065	4082	4099	4116	4133	2 3 5	7 9 10	12 14 15
26	4150	4166	4183	4200	4216	4232	4249	4265	4281	4298	2 3 5	7 8 10	11 13 15
27	4314	4330	4346	4362	4378	4393	4409	4425	4440	4456	2 3 5	6 8 9	11 13 14
28	4472	4487	4502	4518	4533	4548	4564	4579	4594	4609	2 3 5	6 8 9	11 12 14
29	4624	4639	4654	4669	4683	4698	4713	4728	4742	4757	1 3 4	6 7 9	10 12 13
30	4771	4786	4800	4814	4829	4843	4857	4871	4886	4900	1 3 4	6 7 9	10 11 13
31	4914	4928	4942	4955	4969	4983	4997	5011	5024	5038	1 3 4	6 7 8	10 11 12
32	5051	5065	5079	5092	5105	5119	5132	5145	5159	5172	1 3 4	5 7 8	9 11 12
33	5185	5198	5211	5224	5237	5250	5263	5276	5289	5302	1 3 4	5 6 8	9 10 12
34	5315	5328	5340	5353	5366	5378	5391	5403	5416	5428	1 3 4	5 6 8	9 10 11
35	5441	5453	5465	5478	5490	5502	5514	5527	5539	5551	1 2 4	5 6 7	9 10 11
36	5563	5575	5587	5599	5611	5623	5635	5647	5658	5670	1 2 4	5 6 7	8 10 11
37	5682	5694	5705	5717	5729	5740	5752	5763	5775	5786	1 2 3	5 6 7	8 9 10
38	5798	5809	5821	5832	5843	5855	5866	5877	5888	5899	1 2 3	5 6 7	8 9 10
39	5911	5922	5933	5944	5955	5966	5977	5988	5999	6010	1 2 3	4 5 7	8 9 10
40	6021	6031	6042	6053	6064	6075	6085	6096	6107	6117	1 2 3	4 5 6	8 9 10
41	6128	6138	6149	6160	6170	6180	6191	6201	6212	6222	1 2 3	4 5 6	7 8 9
42	6232	6243	6253	6263	6274	6284	6294	6304	6314	6325	1 2 3	4 5 6	7 8 9
43	6335	6345	6355	6365	6375	6385	6395	6405	6415	6425	1 2 3	4 5 6	7 8 9
44	6435	6444	6454	6464	6474	6484	6493	6503	6513	6522	1 2 3	4 5 6	7 8 9
45	6532	6542	6551	6561	6571	6580	6590	6599	6609	6618	1 2 3	4 5 6	7 8 9
46	6628	6637	6646	6656	6665	6675	6684	6693	6702	6712	1 2 3	4 5 6	7 7 8
47	6721	6730	6739	6749	6758	6767	6776	6785	6794	6803	1 2 3	4 5 5	6 7 8
48	6812	6821	6830	6839	6848	6857	6866	6875	6884	6893	1 2 3	4 4 5	6 7 8
49	6902	6911	6920	6928	6937	6946	6955	6964	6972	6981	1 2 3	4 4 5	6 7 8

LOGARITHMS

	0	1	2	3	4	5	6	7	8	9	123	456	789
50	6990	6998	7007	7016	7024	7033	7042	7050	7059	7067	1 2 3	3 4 5	6 7 8
51	7076	7084	7093	7101	7110	7118	7126	7135	7143	7152	1 2 3	3 4 5	6 7 8
52	7160	7168	7177	7185	7193	7202	7210	7218	7226	7235	1 2 2	3 4 5	6 7 7
53	7243	7251	7259	7267	7275	7284	7292	7300	7308	7316	1 2 2	3 4 5	6 6 7
54	7324	7332	7340	7348	7356	7364	7372	7380	7388	7396	1 2 2	3 4 5	6 6 7
55	7404	7412	7419	7427	7435	7443	7451	7459	7466	7474	1 2 2	3 4 5	5 6 7
56	7482	7490	7497	7505	7513	7520	7528	7536	7543	7551	1 2 2	3 4 5	5 6 7
57	7559	7566	7574	7582	7589	7597	7604	7612	7619	7627	1 2 2	3 4 5	5 6 7
58	7634	7642	7649	7657	7664	7672	7679	7686	7694	7701	1 1 2	3 4 4	5 6 7
59	7709	7716	7723	7731	7738	7745	7752	7760	7767	7774	1 1 2	3 4 4	5 6 7
60	7782	7789	7796	7803	7810	7818	7825	7832	7839	7846	1 1 2	3 4 4	5 6 6
61	7853	7860	7868	7875	7882	7889	7896	7903	7910	7917	1 1 2	3 4 4	5 6 6
62	7924	7931	7938	7945	7952	7959	7966	7973	7980	7987	1 1 2	3 3 4	5 6 6
63	7993	8000	8007	8014	8021	8028	8035	8041	8048	8055	1 1 2	3 3 4	5 5 6
64	8062	8069	8075	8082	8089	8096	8102	8109	8116	8122	1 1 2	3 3 4	5 5 6
65	8129	8136	8142	8149	8156	8162	8169	8176	8182	8189	1 1 2	3 3 4	5 5 6
66	8195	8202	8209	8215	8222	8228	8235	8241	8248	8254	1 1 2	3 3 4	5 5 6
67	8261	8267	8274	8280	8287	8293	8299	8306	8312	8319	1 1 2	3 3 4	5 5 6
68	8325	8331	8338	8344	8351	8357	8363	8370	8376	8382	1 1 2	3 3 4	4 5 6
69	8388	8395	8401	8407	8414	8420	8426	8432	8439	8445	1 1 2	2 3 4	4 5 6
70	8451	8457	8463	8470	8476	8482	8488	8494	8500	8506	1 1 2	2 3 4	4 5 6
71	8513	8519	8525	8531	8537	8543	8549	8555	8561	8567	1 1 2	2 3 4	4 5 5
72	8573	8579	8585	8591	8597	8603	8609	8615	8621	8627	1 1 2	2 3 4	4 5 5
73	8633	8639	8645	8651	8657	8663	8669	8675	8681	8686	1 1 2	2 3 4	4 5 5
74	8692	8698	8704	8710	8716	8722	8727	8733	8739	8745	1 1 2	2 3 4	4 5 5
75	8751	8756	8762	8768	8774	8779	8785	8791	8797	8802	1 1 2	2 3 3	4 5 5
76	8808	8814	8820	8825	8831	8837	8842	8848	8854	8859	1 1 2	2 3 3	4 5 5
77	8865	8871	8876	8882	8887	8893	8899	8904	8910	8915	1 1 2	2 3 3	4 4 5
78	8921	8927	8932	8938	8943	8949	8954	8960	8965	8971	1 1 2	2 3 3	4 4 5
79	8976	8982	8987	8993	8998	9004	9009	9015	9020	9025	1 1 2	2 3 3	4 4 5
80	9031	9036	9042	9047	9053	9058	9063	9069	9074	9079	1 1 2	2 3 3	4 4 5
81	9085	9090	9096	9101	9106	9112	9117	9122	9128	9133	1 1 2	2 3 3	4 4 5
82	9138	9143	9149	9154	9159	9165	9170	9175	9180	9186	1 1 2	2 3 3	4 4 5
83	9191	9196	9201	9206	9212	9217	9222	9227	9232	9238	1 1 2	2 3 3	4 4 5
84	9243	9248	9253	9258	9263	9269	9274	9279	9284	9289	1 1 2	2 3 3	4 4 5
85	9294	9299	9304	9309	9315	9320	9325	9330	9335	9340	1 1 2	2 3 3	4 4 5
86	9345	9350	9355	9360	9365	9370	9375	9380	9385	9390	1 1 2	2 3 3	4 4 5
87	9395	9400	9405	9410	9415	9420	9425	9430	9435	9440	0 1 1	2 2 3	3 4 4
88	9445	9450	9455	9460	9465	9469	9474	9479	9484	9489	0 1 1	2 2 3	3 4 4
89	9494	9499	9504	9509	9513	9518	9523	9528	9533	9538	0 1 1	2 2 3	3 4 4
90	9542	9547	9552	9557	9562	9566	9571	9576	9581	9586	0 1 1	2 2 3	3 4 4
91	9590	9595	9600	9605	9609	9614	9619	9624	9628	9633	0 1 1	2 2 3	3 4 4
92	9638	9643	9647	9652	9657	9661	9666	9671	9675	9680	0 1 1	2 2 3	3 4 4
93	9685	9689	9694	9699	9703	9708	9713	9717	9722	9727	0 1 1	2 2 3	3 4 4
94	9731	9736	9741	9745	9750	9754	9759	9763	9768	9773	0 1 1	2 2 3	3 4 4
95	9777	9782	9786	9791	9795	9800	9805	9809	9814	9818	0 1 1	2 2 3	3 4 4
96	9823	9827	9832	9836	9841	9845	9850	9854	9859	9863	0 1 1	2 2 3	3 4 4
97	9868	9872	9877	9881	9886	9890	9894	9899	9903	9908	0 1 1	2 2 3	3 4 4
98	9912	9917	9921	9926	9930	9934	9939	9943	9948	9952	0 1 1	2 2 3	3 4 4
99	9956	9961	9965	9969	9974	9978	9983	9987	9991	9996	0 1 1	2 2 3	3 3 4

ANTILOGARITHMS

	0	1	2	3	4	5	6	7	8	9	123	456	789
·00	1000	1002	1005	1007	1009	1012	1014	1016	1019	1021	0 0 1	1 1 1	2 2 2
·01	1023	1026	1028	1030	1033	1035	1038	1040	1042	1045	0 0 1	1 1 1	2 2 2
·02	1047	1050	1052	1054	1057	1059	1062	1064	1067	1069	0 0 1	1 1 1	2 2 2
·03	1072	1074	1076	1079	1081	1084	1086	1089	1091	1094	0 0 1	1 1 1	2 2 2
·04	1096	1099	1102	1104	1107	1109	1112	1114	1117	1119	0 1 1	1 1 2	2 2 2
·05	1122	1125	1127	1130	1132	1135	1138	1140	1143	1146	0 1 1	1 1 2	2 2 2
·06	1148	1151	1153	1156	1159	1161	1164	1167	1169	1172	0 1 1	1 1 2	2 2 2
·07	1175	1178	1180	1183	1186	1189	1191	1194	1197	1199	0 1 1	1 1 2	2 2 2
·08	1202	1205	1208	1211	1213	1216	1219	1222	1225	1227	0 1 1	1 1 2	2 2 3
·09	1230	1233	1236	1239	1242	1245	1247	1250	1253	1256	0 1 1	1 1 2	2 2 3
·10	1259	1262	1265	1268	1271	1274	1276	1279	1282	1285	0 1 1	1 1 2	2 2 3
·11	1288	1291	1294	1297	1300	1303	1306	1309	1312	1315	0 1 1	1 2 2	2 2 3
·12	1318	1321	1324	1327	1330	1334	1337	1340	1343	1346	0 1 1	1 2 2	2 2 3
·13	1349	1352	1355	1358	1361	1365	1368	1371	1374	1377	0 1 1	1 2 2	2 3 3
·14	1380	1384	1387	1390	1393	1396	1400	1403	1406	1409	0 1 1	1 2 2	2 3 3
·15	1413	1416	1419	1422	1426	1429	1432	1435	1439	1442	0 1 1	1 2 2	2 3 3
·16	1445	1449	1452	1455	1459	1462	1466	1469	1472	1476	0 1 1	1 2 2	2 3 3
·17	1479	1483	1486	1489	1493	1496	1500	1503	1507	1510	0 1 1	1 2 2	2 3 3
·18	1514	1517	1521	1524	1528	1531	1535	1538	1542	1545	0 1 1	1 2 2	2 3 3
·19	1549	1552	1556	1560	1563	1567	1570	1574	1578	1581	0 1 1	1 2 2	3 3 3
·20	1585	1589	1592	1596	1600	1603	1607	1611	1614	1618	0 1 1	1 2 2	3 3 3
·21	1622	1626	1629	1633	1637	1641	1644	1648	1652	1656	0 1 1	2 2 2	3 3 3
·22	1660	1663	1667	1671	1675	1679	1683	1687	1690	1694	0 1 1	2 2 2	3 3 3
·23	1698	1702	1706	1710	1714	1718	1722	1726	1730	1734	0 1 1	2 2 2	3 3 4
·24	1738	1742	1746	1750	1754	1758	1762	1766	1770	1774	0 1 1	2 2 2	3 3 4
·25	1778	1782	1786	1791	1795	1799	1803	1807	1811	1816	0 1 1	2 2 2	3 3 4
·26	1820	1824	1828	1832	1837	1841	1845	1849	1854	1858	0 1 1	2 2 3	3 3 4
·27	1862	1866	1871	1875	1879	1884	1888	1892	1897	1901	0 1 1	2 2 3	3 3 4
·28	1905	1910	1914	1919	1923	1928	1932	1936	1941	1945	0 1 1	2 2 3	3 4 4
·29	1950	1954	1959	1963	1968	1972	1977	1982	1986	1991	0 1 1	2 2 3	3 4 4
·30	1995	2000	2004	2009	2014	2018	2023	2028	2032	2037	0 1 1	2 2 3	3 4 4
·31	2042	2046	2051	2056	2061	2065	2070	2075	2080	2084	0 1 1	2 2 3	3 4 4
·32	2089	2094	2099	2104	2109	2113	2118	2123	2128	2133	0 1 1	2 2 3	3 4 4
·33	2138	2143	2148	2153	2158	2163	2168	2173	2178	2183	0 1 1	2 2 3	3 4 4
·34	2188	2193	2198	2203	2208	2213	2218	2223	2228	2234	1 1 2	2 3 3	4 4 5
·35	2239	2244	2249	2254	2259	2265	2270	2275	2280	2286	1 1 2	2 3 3	4 4 5
·36	2291	2296	2301	2307	2312	2317	2323	2328	2333	2339	1 1 2	2 3 3	4 4 5
·37	2344	2350	2355	2360	2366	2371	2377	2382	2388	2393	1 1 2	2 3 3	4 4 5
·38	2399	2404	2410	2415	2421	2427	2432	2438	2443	2449	1 1 2	2 3 3	4 4 5
·39	2455	2460	2466	2472	2477	2483	2489	2495	2500	2506	1 1 2	2 3 3	4 5 5
·40	2512	2518	2523	2529	2535	2541	2547	2553	2559	2564	1 1 2	2 3 4	4 5 5
·41	2570	2576	2582	2588	2594	2600	2606	2612	2618	2624	1 1 2	2 3 4	4 5 5
·42	2630	2636	2642	2649	2655	2661	2667	2673	2679	2685	1 1 2	2 3 4	4 5 6
·43	2692	2698	2704	2710	2716	2723	2729	2735	2742	2748	1 1 2	3 3 4	4 5 6
·44	2754	2761	2767	2773	2780	2786	2793	2799	2805	2812	1 1 2	3 3 4	4 5 6
·45	2818	2825	2831	2838	2844	2851	2858	2864	2871	2877	1 1 2	3 3 4	5 5 6
·46	2884	2891	2897	2904	2911	2917	2924	2931	2938	2944	1 1 2	3 3 4	5 5 6
·47	2951	2958	2965	2972	2979	2985	2992	2999	3006	3013	1 1 2	3 3 4	5 5 6
·48	3020	3027	3034	3041	3048	3055	3062	3069	3076	3083	1 1 2	3 4 4	5 6 6
·49	3090	3097	3105	3112	3119	3126	3133	3141	3148	3155	1 1 2	3 4 4	5 6 6

ANTILOGARITHMS

	0	1	2	3	4	5	6	7	8	9	1	2	3	4	5	6	7	8	9
·50	3162	3170	3177	3184	3192	3199	3206	3214	3221	3228	1	1	2	3	4	4	5	6	7
·51	3236	3243	3251	3258	3266	3273	3281	3289	3296	3304	1	2	2	3	4	5	5	6	7
·52	3311	3319	3327	3334	3342	3350	3357	3365	3373	3381	1	2	2	3	4	5	5	6	7
·53	3388	3396	3404	3412	3420	3428	3436	3443	3451	3459	1	2	2	3	4	5	6	6	7
·54	3467	3475	3483	3491	3499	3508	3516	3524	3532	3540	1	2	2	3	4	5	6	6	7
·55	3548	3556	3565	3573	3581	3589	3597	3606	3614	3622	1	2	2	3	4	5	6	7	7
·56	3631	3639	3648	3656	3664	3673	3681	3690	3698	3707	1	2	3	3	4	5	6	7	8
·57	3715	3724	3733	3741	3750	3758	3767	3776	3784	3793	1	2	3	3	4	5	6	7	8
·58	3802	3811	3819	3828	3837	3846	3855	3864	3873	3882	1	2	3	4	4	5	6	7	8
·59	3890	3899	3908	3917	3926	3936	3945	3954	3963	3972	1	2	3	4	5	5	6	7	8
·60	3981	3990	3999	4009	4018	4027	4036	4046	4055	4064	1	2	3	4	5	6	6	7	8
·61	4074	4083	4093	4102	4111	4121	4130	4140	4150	4159	1	2	3	4	5	6	7	8	9
·62	4169	4178	4188	4198	4207	4217	4227	4236	4246	4256	1	2	3	4	5	6	7	8	9
·63	4266	4276	4285	4295	4305	4315	4325	4335	4345	4355	1	2	3	4	5	6	7	8	9
·64	4365	4375	4385	4395	4406	4416	4426	4436	4446	4457	1	2	3	4	5	6	7	8	9
·65	4467	4477	4487	4498	4508	4519	4529	4539	4550	4560	1	2	3	4	5	6	7	8	9
·66	4571	4581	4592	4603	4613	4624	4634	4645	4656	4667	1	2	3	4	5	6	7	9	10
·67	4677	4688	4699	4710	4721	4732	4742	4753	4764	4775	1	2	3	4	5	7	8	9	10
·68	4786	4797	4808	4819	4831	4842	4853	4864	4875	4887	1	2	3	4	6	7	8	9	10
·69	4898	4909	4920	4932	4943	4955	4966	4977	4989	5000	1	2	3	5	6	7	8	9	10
·70	5012	5023	5035	5047	5058	5070	5082	5093	5105	5117	1	2	4	5	6	7	8	9	11
·71	5129	5140	5152	5164	5176	5188	5200	5212	5224	5236	1	2	4	5	6	7	8	10	11
·72	5248	5260	5272	5284	5297	5309	5321	5333	5346	5358	1	2	4	5	6	7	9	10	11
·73	5370	5383	5395	5408	5420	5433	5445	5458	5470	5483	1	3	4	5	6	8	9	10	11
·74	5495	5508	5521	5534	5546	5559	5572	5585	5598	5610	1	3	4	5	6	8	9	10	12
·75	5623	5636	5649	5662	5675	5689	5702	5715	5728	5741	1	3	4	5	7	8	9	10	12
·76	5754	5768	5781	5794	5808	5821	5834	5848	5861	5875	1	3	4	5	7	8	9	11	12
·77	5888	5902	5916	5929	5943	5957	5970	5984	5998	6012	1	3	4	5	7	8	10	11	12
·78	6026	6039	6053	6067	6081	6095	6109	6124	6138	6152	1	3	4	6	7	8	10	11	13
·79	6166	6180	6194	6209	6223	6237	6252	6266	6281	6295	1	3	4	6	7	9	10	11	13
·80	6310	6324	6339	6353	6368	6383	6397	6412	6427	6442	1	3	4	6	7	9	10	12	13
·81	6457	6471	6486	6501	6516	6531	6546	6561	6577	6592	2	3	5	6	8	9	11	12	14
·82	6607	6622	6637	6653	6668	6683	6699	6714	6730	6745	2	3	5	6	8	9	11	12	14
·83	6761	6776	6792	6808	6823	6839	6855	6871	6887	6902	2	3	5	6	8	9	11	13	14
·84	6918	6934	6950	6966	6982	6998	7015	7031	7047	7063	2	3	5	6	8	10	11	13	15
·85	7079	7096	7112	7129	7145	7161	7178	7194	7211	7228	2	3	5	7	8	10	12	13	15
·86	7244	7261	7278	7295	7311	7328	7345	7362	7379	7396	2	3	5	7	8	10	12	13	15
·87	7413	7430	7447	7464	7482	7499	7516	7534	7551	7568	2	3	5	7	9	10	12	14	16
·88	7586	7603	7621	7638	7656	7674	7691	7709	7727	7745	2	4	5	7	9	11	12	14	16
·89	7762	7780	7798	7816	7834	7852	7870	7889	7907	7925	2	4	5	7	9	11	13	14	16
·90	7943	7962	7980	7998	8017	8035	8054	8072	8091	8110	2	4	6	7	9	11	13	15	17
·91	8128	8147	8166	8185	8204	8222	8241	8260	8279	8299	2	4	6	8	9	11	13	15	17
·92	8318	8337	8356	8375	8395	8414	8433	8453	8472	8492	2	4	6	8	10	12	14	15	17
·93	8511	8531	8551	8570	8590	8610	8630	8650	8670	8690	2	4	6	8	10	12	14	16	18
·94	8710	8730	8750	8770	8790	8810	8831	8851	8872	8892	2	4	6	8	10	12	14	16	18
·95	8913	8933	8954	8974	8995	9016	9036	9057	9078	9099	2	4	6	8	10	12	15	17	19
·96	9120	9141	9162	9183	9204	9226	9247	9268	9290	9311	2	4	6	8	11	13	15	17	19
·97	9333	9354	9376	9397	9419	9441	9462	9484	9506	9528	2	4	7	9	11	13	15	17	20
·98	9550	9572	9594	9616	9638	9661	9683	9705	9727	9750	2	4	7	9	11	13	16	18	20
·99	9772	9795	9817	9840	9863	9886	9908	9931	9954	9977	2	5	7	9	11	14	16	18	20

NATURAL SINES

Degrees	0′ 0°·0	6′ 0°·1	12′ 0°·2	18′ 0°·3	24′ 0°·4	30′ 0°·5	36′ 0°·6	42′ 0°·7	48′ 0°·8	54′ 0°·9	Mean Differences 1	2	3	4	5
0	·0000	0017	0035	0052	0070	0087	0105	0122	0140	0157	3	6	9	12	15
1	·0175	0192	0209	0227	0244	0262	0279	0297	0314	0332	3	6	9	12	15
2	·0349	0366	0384	0401	0419	0436	0454	0471	0488	0506	3	6	9	12	15
3	·0523	0541	0558	0576	0593	0610	0628	0645	0663	0680	3	6	9	12	15
4	·0698	0715	0732	0750	0767	0785	0802	0819	0837	0854	3	6	9	12	15
5	·0872	0889	0906	0924	0941	0958	0976	0993	1011	1028	3	6	9	12	14
6	·1045	1063	1080	1097	1115	1132	1149	1167	1184	1201	3	6	9	12	14
7	·1219	1236	1253	1271	1288	1305	1323	1340	1357	1374	3	6	9	12	14
8	·1392	1409	1426	1444	1461	1478	1495	1513	1530	1547	3	6	9	12	14
9	·1564	1582	1599	1616	1633	1650	1668	1685	1702	1719	3	6	9	12	14
10	·1736	1754	1771	1788	1805	1822	1840	1857	1874	1891	3	6	9	12	14
11	·1908	1925	1942	1959	1977	1994	2011	2028	2045	2062	3	6	9	11	14
12	·2079	2096	2113	2130	2147	2164	2181	2198	2215	2232	3	6	9	11	14
13	·2250	2267	2284	2300	2317	2334	2351	2368	2385	2402	3	6	8	11	14
14	·2419	2436	2453	2470	2487	2504	2521	2538	2554	2571	3	6	8	11	14
15	·2588	2605	2622	2639	2656	2672	2689	2706	2723	2740	3	6	8	11	14
16	·2756	2773	2790	2807	2823	2840	2857	2874	2890	2907	3	6	8	11	14
17	·2924	2940	2957	2974	2990	3007	3024	3040	3057	3074	3	6	8	11	14
18	·3090	3107	3123	3140	3156	3173	3190	3206	3223	3239	3	6	8	11	14
19	·3256	3272	3289	3305	3322	3338	3355	3371	3387	3404	3	5	8	11	14
20	·3420	3437	3453	3469	3486	3502	3518	3535	3551	3567	3	5	8	11	14
21	·3584	3600	3616	3633	3649	3665	3681	3697	3714	3730	3	5	8	11	14
22	·3746	3762	3778	3795	3811	3827	3843	3859	3875	3891	3	5	8	11	14
23	·3907	3923	3939	3955	3971	3987	4003	4019	4035	4051	3	5	8	11	14
24	·4067	4083	4099	4115	4131	4147	4163	4179	4195	4210	3	5	8	11	13
25	·4226	4242	4258	4274	4289	4305	4321	4337	4352	4368	3	5	8	11	13
26	·4384	4399	4415	4431	4446	4462	4478	4493	4509	4524	3	5	8	10	13
27	·4540	4555	4571	4586	4602	4617	4633	4648	4664	4679	3	5	8	10	13
28	·4695	4710	4726	4741	4756	4772	4787	4802	4818	4833	3	5	8	10	13
29	·4848	4863	4879	4894	4909	4924	4939	4955	4970	4985	3	5	8	10	13
30	·5000	5015	5030	5045	5060	5075	5090	5105	5120	5135	3	5	8	10	13
31	·5150	5165	5180	5195	5210	5225	5240	5255	5270	5284	2	5	7	10	12
32	·5299	5314	5329	5344	5358	5373	5388	5402	5417	5432	2	5	7	10	12
33	·5446	5461	5476	5490	5505	5519	5534	5548	5563	5577	2	5	7	10	12
34	·5592	5606	5621	5635	5650	5664	5678	5693	5707	5721	2	5	7	10	12
35	·5736	5750	5764	5779	5793	5807	5821	5835	5850	5864	2	5	7	10	12
36	·5878	5892	5906	5920	5934	5948	5962	5976	5990	6004	2	5	7	9	12
37	·6018	6032	6046	6060	6074	6088	6101	6115	6129	6143	2	5	7	9	12
38	·6157	6170	6184	6198	6211	6225	6239	6252	6266	6280	2	5	7	9	11
39	·6293	6307	6320	6334	6347	6361	6374	6388	6401	6414	2	4	7	9	11
40	·6428	6441	6455	6468	6481	6494	6508	6521	6534	6547	2	4	7	9	11
41	·6561	6574	6587	6600	6613	6626	6639	6652	6665	6678	2	4	7	9	11
42	·6691	6704	6717	6730	6743	6756	6769	6782	6794	6807	2	4	6	9	11
43	·6820	6833	6845	6858	6871	6884	6896	6909	6921	6934	2	4	6	8	11
44	·6947	6959	6972	6984	6997	7009	7022	7034	7046	7059	2	4	6	8	10

NATURAL SINES

Degrees	0′ 0°·0	6′ 0°·1	12′ 0°·2	18′ 0°·3	24′ 0°·4	30′ 0°·5	36′ 0°·6	42′ 0°·7	48′ 0°·8	54′ 0°·9	Mean Differences 1	2	3	4	5
45	·7071	7083	7096	7108	7120	7133	7145	7157	7169	7181	2	4	6	8	10
46	·7193	7206	7218	7230	7242	7254	7266	7278	7290	7302	2	4	6	8	10
47	·7314	7325	7337	7349	7361	7373	7385	7396	7408	7420	2	4	6	8	10
48	·7431	7443	7455	7466	7478	7490	7501	7513	7524	7536	2	4	6	8	10
49	·7547	7558	7570	7581	7593	7604	7615	7627	7638	7649	2	4	6	8	9
50	·7660	7672	7683	7694	7705	7716	7727	7738	7749	7760	2	4	6	7	9
51	·7771	7782	7793	7804	7815	7826	7837	7848	7859	7869	2	4	5	7	9
52	·7880	7891	7902	7912	7923	7934	7944	7955	7965	7976	2	4	5	7	9
53	·7986	7997	8007	8018	8028	8039	8049	8059	8070	8080	2	3	5	7	9
54	·8090	8100	8111	8121	8131	8141	8151	8161	8171	8181	2	3	5	7	8
55	·8192	8202	8211	8221	8231	8241	8251	8261	8271	8281	2	3	5	7	8
56	·8290	8300	8310	8320	8329	8339	8348	8358	8368	8377	2	3	5	6	8
57	·8387	8396	8406	8415	8425	8434	8443	8453	8462	8471	2	3	5	6	8
58	·8480	8490	8499	8508	8517	8526	8536	8545	8554	8563	2	3	5	6	8
59	·8572	8581	8590	8599	8607	8616	8625	8634	8643	8652	1	3	4	6	7
60	·8660	8669	8678	8686	8695	8704	8712	8721	8729	8738	1	3	4	6	7
61	·8746	8755	8763	8771	8780	8788	8796	8805	8813	8821	1	3	4	6	7
62	·8829	8838	8846	8854	8862	8870	8878	8886	8894	8902	1	3	4	5	7
63	·8910	8918	8926	8934	8942	8949	8957	8965	8973	8980	1	3	4	5	6
64	·8988	8996	9003	9011	9018	9026	9033	9041	9048	9056	1	3	4	5	6
65	·9063	9070	9078	9085	9092	9100	9107	9114	9121	9128	1	2	4	5	6
66	·9135	9143	9150	9157	9164	9171	9178	9184	9191	9198	1	2	3	5	6
67	·9205	9212	9219	9225	9232	9239	9245	9252	9259	9265	1	2	3	4	6
68	·9272	9278	9285	9291	9298	9304	9311	9317	9323	9330	1	2	3	4	5
69	·9336	9342	9348	9354	9361	9367	9373	9379	9385	9391	1	2	3	4	5
70	·9397	9403	9409	9415	9421	9426	9432	9438	9444	9449	1	2	3	4	5
71	·9455	9461	9466	9472	9478	9483	9489	9494	9500	9505	1	2	3	4	5
72	·9511	9516	9521	9527	9532	9537	9542	9548	9553	9558	1	2	3	3	4
73	·9563	9568	9573	9578	9583	9588	9593	9598	9603	9608	1	2	2	3	4
74	·9613	9617	9622	9627	9632	9636	9641	9646	9650	9655	1	2	2	3	4
75	·9659	9664	9668	9673	9677	9681	9686	9690	9694	9699	1	1	2	3	4
76	·9703	9707	9711	9715	9720	9724	9728	9732	9736	9740	1	1	2	3	3
77	·9744	9748	9751	9755	9759	9763	9767	9770	9774	9778	1	1	2	3	3
78	·9781	9785	9789	9792	9796	9799	9803	9806	9810	9813	1	1	2	2	3
79	·9816	9820	9823	9826	9829	9833	9836	9839	9842	9845	1	1	2	2	3
80	·9848	9851	9854	9857	9860	9863	9866	9869	9871	9874	0	1	1	2	2
81	·9877	9880	9882	9885	9888	9890	9893	9895	9898	9900	0	1	1	2	2
82	·9903	9905	9907	9910	9912	9914	9917	9919	9921	9923	0	1	1	2	2
83	·9925	9928	9930	9932	9934	9936	9938	9940	9942	9943	0	1	1	1	2
84	·9945	9947	9949	9951	9952	9954	9956	9957	9959	9960	0	1	1	1	2
85	·9962	9963	9965	9966	9968	9969	9971	9972	9973	9974	0	0	1	1	1
86	·9976	9977	9978	9979	9980	9981	9982	9983	9984	9985	0	0	1	1	1
87	·9986	9987	9988	9989	9990	9990	9991	9992	9993	9993	0	0	0	1	1
88	·9994	9995	9995	9996	9996	9997	9997	9997	9998	9998	0	0	0	0	0
89	·9998	9999	9999	9999	9999	1·000	1·000	1·000	1·000	1·000	0	0	0	0	0
90	1·000														

NATURAL COSINES

[Numbers in difference columns to be subtracted, not added.]

Degrees	0′ 0°·0	6′ 0°·1	12′ 0°·2	18′ 0°·3	24′ 0°·4	30′ 0°·5	36′ 0°·6	42′ 0°·7	48′ 0°·8	54′ 0°·9	Mean Differences 1	2	3	4	5
0	1·000	1·000	1·000	1·000	1·000	1·000	·9999	9999	9999	9999	0	0	0	0	0
1	·9998	9998	9998	9997	9997	9997	9996	9996	9995	9995	0	0	0	0	0
2	·9994	9993	9993	9992	9991	9990	9990	9989	9988	9987	0	0	0	1	1
3	·9986	9985	9984	9983	9982	9981	9980	9979	9978	9977	0	0	1	1	1
4	·9976	9974	9973	9972	9971	9969	9968	9966	9965	9963	0	0	1	1	1
5	·9962	9960	9959	9957	9956	9954	9952	9951	9949	9947	0	1	1	1	2
6	·9945	9943	9942	9940	9938	9936	9934	9932	9930	9928	0	1	1	1	2
7	·9925	9923	9921	9919	9917	9914	9912	9910	9907	9905	0	1	1	2	2
8	·9903	9900	9898	9895	9893	9890	9888	9885	9882	9880	0	1	1	2	2
9	·9877	9874	9871	9869	9866	9863	9860	9857	9854	9851	0	1	1	2	2
10	·9848	9845	9842	9839	9836	9833	9829	9826	9823	9820	1	1	2	2	3
11	·9816	9813	9810	9806	9803	9799	9796	9792	9789	9785	1	1	2	2	3
12	·9781	9778	9774	9770	9767	9763	9759	9755	9751	9748	1	1	2	3	3
13	·9744	9740	9736	9732	9728	9724	9720	9715	9711	9707	1	1	2	3	3
14	·9703	9699	9694	9690	9686	9681	9677	9673	9668	9664	1	1	2	3	4
15	·9659	9655	9650	9646	9641	9636	9632	9627	9622	9617	1	2	2	3	4
16	·9613	9608	9603	9598	9593	9588	9583	9578	9573	9568	1	2	2	3	4
17	·9563	9558	9553	9548	9542	9537	9532	9527	9521	9516	1	2	3	3	4
18	·9511	9505	9500	9494	9489	9483	9478	9472	9466	9461	1	2	3	4	5
19	·9455	9449	9444	9438	9432	9426	9421	9415	9409	9403	1	2	3	4	5
20	·9397	9391	9385	9379	9373	9367	9361	9354	9348	9342	1	2	3	4	5
21	·9336	9330	9323	9317	9311	9304	9298	9291	9285	9278	1	2	3	4	5
22	·9272	9265	9259	9252	9245	9239	9232	9225	9219	9212	1	2	3	4	6
23	·9205	9198	9191	9184	9178	9171	9164	9157	9150	9143	1	2	3	5	6
24	·9135	9128	9121	9114	9107	9100	9092	9085	9078	9070	1	2	4	5	6
25	·9063	9056	9048	9041	9033	9026	9018	9011	9003	8996	1	3	4	5	6
26	·8988	8980	8973	8965	8957	8949	8942	8934	8926	8918	1	3	4	5	6
27	·8910	8902	8894	8886	8878	8870	8862	8854	8846	8838	1	3	4	5	7
28	·8829	8821	8813	8805	8796	8788	8780	8771	8763	8755	1	3	4	6	7
29	·8746	8738	8729	8721	8712	8704	8695	8686	8678	8669	1	3	4	6	7
30	·8660	8652	8643	8634	8625	8616	8607	8599	8590	8581	1	3	4	6	7
31	·8572	8563	8554	8545	8536	8526	8517	8508	8499	8490	2	3	5	6	8
32	·8480	8471	8462	8453	8443	8434	8425	8415	8406	8396	2	3	5	6	8
33	·8387	8377	8368	8358	8348	8339	8329	8320	8310	8300	2	3	5	6	8
34	·8290	8281	8271	8261	8251	8241	8231	8221	8211	8202	2	3	5	7	8
35	·8192	8181	8171	8161	8151	8141	8131	8121	8111	8100	2	3	5	7	8
36	·8090	8080	8070	8059	8049	8039	8028	8018	8007	7997	2	3	5	7	9
37	·7986	7976	7965	7955	7944	7934	7923	7912	7902	7891	2	4	5	7	9
38	·7880	7869	7859	7848	7837	7826	7815	7804	7793	7782	2	4	5	7	9
39	·7771	7760	7749	7738	7727	7716	7705	7694	7683	7672	2	4	6	7	9
40	·7660	7649	7638	7627	7615	7604	7593	7581	7570	7559	2	4	6	8	9
41	·7547	7536	7524	7513	7501	7490	7478	7466	7455	7443	2	4	6	8	10
42	·7431	7420	7408	7396	7385	7373	7361	7349	7337	7325	2	4	6	8	10
43	·7314	7302	7290	7278	7266	7254	7242	7230	7218	7206	2	4	6	8	10
44	·7193	7181	7169	7157	7145	7133	7120	7108	7096	7083	2	4	6	8	10

NATURAL COSINES

[*Numbers in difference columns to be subtracted, not added.*]

Degrees	0′ 0°·0	6′ 0°·1	12′ 0°·2	18′ 0°·3	24′ 0°·4	30′ 0°·5	36′ 0°·6	42′ 0°·7	48′ 0°·8	54′ 0°·9	Mean Differences 1	2	3	4	5
45	·7071	7059	7046	7034	7022	7009	6997	6984	6972	6959	2	4	6	8	10
46	·6947	6934	6921	6909	6896	6884	6871	6858	6845	6833	2	4	6	8	11
47	·6820	6807	6794	6782	6769	6756	6743	6730	6717	6704	2	4	6	9	11
48	·6691	6678	6665	6652	6639	6626	6613	6600	6587	6574	2	4	7	9	11
49	·6561	6547	6534	6521	6508	6494	6481	6468	6455	6441	2	4	7	9	11
50	·6428	6414	6401	6388	6374	6361	6347	6334	6320	6307	2	4	7	9	11
51	·6293	6280	6266	6252	6239	6225	6211	6198	6184	6170	2	5	7	9	11
52	·6157	6143	6129	6115	6101	6088	6074	6060	6046	6032	2	5	7	9	12
53	·6018	6004	5990	5976	5962	5948	5934	5920	5906	5892	2	5	7	9	12
54	·5878	5864	5850	5835	5821	5807	5793	5779	5764	5750	2	5	7	9	12
55	·5736	5721	5707	5693	5678	5664	5650	5635	5621	5606	2	5	7	10	12
56	·5592	5577	5563	5548	5534	5519	5505	5490	5476	5461	2	5	7	10	12
57	·5446	5432	5417	5402	5388	5373	5358	5344	5329	5314	2	5	7	10	12
58	·5299	5284	5270	5255	5240	5225	5210	5195	5180	5165	2	5	7	10	12
59	·5150	5135	5120	5105	5090	5075	5060	5045	5030	5015	3	5	8	10	13
60	·5000	4985	4970	4955	4939	4924	4909	4894	4879	4863	3	5	8	10	13
61	·4848	4833	4818	4802	4787	4772	4756	4741	4726	4710	3	5	8	10	13
62	·4695	4679	4664	4648	4633	4617	4602	4586	4571	4555	3	5	8	10	13
63	·4540	4524	4509	4493	4478	4462	4446	4431	4415	4399	3	5	8	10	13
64	·4384	4368	4352	4337	4321	4305	4289	4274	4258	4242	3	5	8	11	13
65	·4226	4210	4195	4179	4163	4147	4131	4115	4099	4083	3	5	8	11	13
66	·4067	4051	4035	4019	4003	3987	3971	3955	3939	3923	3	5	8	11	14
67	·3907	3891	3875	3859	3843	3827	3811	3795	3778	3762	3	5	8	11	14
68	·3746	3730	3714	3697	3681	3665	3649	3633	3616	3600	3	5	8	11	14
69	·3584	3567	3551	3535	3518	3502	3486	3469	3453	3437	3	5	8	11	14
70	·3420	3404	3387	3371	3355	3338	3322	3305	3289	3272	3	5	8	11	14
71	·3256	3239	3223	3206	3190	3173	3156	3140	3123	3107	3	6	8	11	14
72	·3090	3074	3057	3040	3024	3007	2990	2974	2957	2940	3	6	8	11	14
73	·2924	2907	2890	2874	2857	2840	2823	2807	2790	2773	3	6	8	11	14
74	·2756	2740	2723	2706	2689	2672	2656	2639	2622	2605	3	6	8	11	14
75	·2588	2571	2554	2538	2521	2504	2487	2470	2453	2436	3	6	8	11	14
76	·2419	2402	2385	2368	2351	2334	2317	2300	2284	2267	3	6	8	11	14
77	·2250	2233	2215	2198	2181	2164	2147	2130	2113	2096	3	6	9	11	14
78	·2079	2062	2045	2028	2011	1994	1977	1959	1942	1925	3	6	9	11	14
79	·1908	1891	1874	1857	1840	1822	1805	1788	1771	1754	3	6	9	11	14
80	·1736	1719	1702	1685	1668	1650	1633	1616	1599	1582	3	6	9	12	14
81	·1564	1547	1530	1513	1495	1478	1461	1444	1426	1409	3	6	9	12	14
82	·1392	1374	1357	1340	1323	1305	1288	1271	1253	1236	3	6	9	12	14
83	·1219	1201	1184	1167	1149	1132	1115	1097	1080	1063	3	6	9	12	14
84	·1045	1028	1011	0993	0976	0958	0941	0924	0906	0889	3	6	9	12	14
85	·0872	0854	0837	0819	0802	0785	0767	0750	0732	0715	3	6	9	12	15
86	·0698	0680	0663	0645	0628	0610	0593	0576	0558	0541	3	6	9	12	15
87	·0523	0506	0488	0471	0454	0436	0419	0401	0384	0366	3	6	9	12	15
88	·0349	0332	0314	0297	0279	0262	0244	0227	0209	0192	3	6	9	12	15
89	·0175	0157	0140	0122	0105	0087	0070	0052	0035	0017	3	6	9	12	15
90	·0000														

NATURAL TANGENTS

Degrees	0′ 0°·0	6′ 0°·1	12′ 0°·2	18′ 0°·3	24′ 0°·4	30′ 0°·5	36′ 0°·6	42′ 0°·7	48′ 0°·8	54′ 0°·9	Mean Differences 1	2	3	4	5
0	·0000	0017	0035	0052	0070	0087	0105	0122	0140	0157	3	6	9	12	15
1	·0175	0192	0209	0227	0244	0262	0279	0297	0314	0332	3	6	9	12	15
2	·0349	0367	0384	0402	0419	0437	0454	0472	0489	0507	3	6	9	12	15
3	·0524	0542	0559	0577	0594	0612	0629	0647	0664	0682	3	6	9	12	15
4	·0699	0717	0734	0752	0769	0787	0805	0822	0840	0857	3	6	9	12	15
5	·0875	0892	0910	0928	0945	0963	0981	0998	1016	1033	3	6	9	12	15
6	·1051	1069	1086	1104	1122	1139	1157	1175	1192	1210	3	6	9	12	15
7	·1228	1246	1263	1281	1299	1317	1334	1352	1370	1388	3	6	9	12	15
8	·1405	1423	1441	1459	1477	1495	1512	1530	1548	1566	3	6	9	12	15
9	·1584	1602	1620	1638	1655	1673	1691	1709	1727	1745	3	6	9	12	15
10	·1763	1781	1799	1817	1835	1853	1871	1890	1908	1926	3	6	9	12	15
11	·1944	1962	1980	1998	2016	2035	2053	2071	2089	2107	3	6	9	12	15
12	·2126	2144	2162	2180	2199	2217	2235	2254	2272	2290	3	6	9	12	15
13	·2309	2327	2345	2364	2382	2401	2419	2438	2456	2475	3	6	9	12	15
14	·2493	2512	2530	2549	2568	2586	2605	2623	2642	2661	3	6	9	12	16
15	·2679	2698	2717	2736	2754	2773	2792	2811	2830	2849	3	6	9	13	16
16	·2867	2886	2905	2924	2943	2962	2981	3000	3019	3038	3	6	9	13	16
17	·3057	3076	3096	3115	3134	3153	3172	3191	3211	3230	3	6	10	13	16
18	·3249	3269	3288	3307	3327	3346	3365	3385	3404	3424	3	6	10	13	16
19	·3443	3463	3482	3502	3522	3541	3561	3581	3600	3620	3	7	10	13	16
20	·3640	3659	3679	3699	3719	3739	3759	3779	3799	3819	3	7	10	13	17
21	·3839	3859	3879	3899	3919	3939	3959	3979	4000	4020	3	7	10	13	17
22	·4040	4061	4081	4101	4122	4142	4163	4183	4204	4224	3	7	10	14	17
23	·4245	4265	4286	4307	4327	4348	4369	4390	4411	4431	3	7	10	14	17
24	·4452	4473	4494	4515	4536	4557	4578	4599	4621	4642	4	7	11	14	18
25	·4663	4684	4706	4727	4748	4770	4791	4813	4834	4856	4	7	11	14	18
26	·4877	4899	4921	4942	4964	4986	5008	5029	5051	5073	4	7	11	15	18
27	·5095	5117	5139	5161	5184	5206	5228	5250	5272	5295	4	7	11	15	18
28	·5317	5340	5362	5384	5407	5430	5452	5475	5498	5520	4	8	11	15	19
29	·5543	5566	5589	5612	5635	5658	5681	5704	5727	5750	4	8	12	15	19
30	·5774	5797	5820	5844	5867	5890	5914	5938	5961	5985	4	8	12	16	20
31	·6009	6032	6056	6080	6104	6128	6152	6176	6200	6224	4	8	12	16	20
32	·6249	6273	6297	6322	6346	6371	6395	6420	6445	6469	4	8	12	16	20
33	·6494	6519	6544	6569	6594	6619	6644	6669	6694	6720	4	8	13	17	21
34	·6745	6771	6796	6822	6847	6873	6899	6924	6950	6976	4	9	13	17	21
35	·7002	7028	7054	7080	7107	7133	7159	7186	7212	7239	4	9	13	18	22
36	·7265	7292	7319	7346	7373	7400	7427	7454	7481	7508	5	9	14	18	23
37	·7536	7563	7590	7618	7646	7673	7701	7729	7757	7785	5	9	14	18	23
38	·7813	7841	7869	7898	7926	7954	7983	8012	8040	8069	5	9	14	19	24
39	·8098	8127	8156	8185	8214	8243	8273	8302	8332	8361	5	10	15	20	24
40	·8391	8421	8451	8481	8511	8541	8571	8601	8632	8662	5	10	15	20	25
41	·8693	8724	8754	8785	8816	8847	8878	8910	8941	8972	5	10	16	21	26
42	·9004	9036	9067	9099	9131	9163	9195	9228	9260	9293	5	11	16	21	27
43	·9325	9358	9391	9424	9457	9490	9523	9556	9590	9623	6	11	17	22	28
44	·9657	9691	9725	9759	9793	9827	9861	9896	9930	9965	6	11	17	23	29

NATURAL TANGENTS

Degrees	0′ 0°·0	6′ 0°·1	12′ 0°·2	18′ 0°·3	24′ 0°·4	30′ 0°·5	36′ 0°·6	42′ 0°·7	48′ 0°·8	54′ 0°·9	Mean Differences				
											1	2	3	4	5
45	1·0000	0035	0070	0105	0141	0176	0212	0247	0283	0319	6	12	18	24	30
46	1·0355	0392	0428	0464	0501	0538	0575	0612	0649	0686	6	12	18	25	31
47	1·0724	0761	0799	0837	0875	0913	0951	0990	1028	1067	6	13	19	25	32
48	1·1106	1145	1184	1224	1263	1303	1343	1383	1423	1463	7	13	20	27	33
49	1·1504	1544	1585	1626	1667	1708	1750	1792	1833	1875	7	14	21	28	34
50	1·1918	1960	2002	2045	2088	2131	2174	2218	2261	2305	7	14	22	29	36
51	1·2349	2393	2437	2482	2527	2572	2617	2662	2708	2753	8	15	23	30	38
52	1·2799	2846	2892	2938	2985	3032	3079	3127	3175	3222	8	16	24	31	39
53	1·3270	3319	3367	3416	3465	3514	3564	3613	3663	3713	8	16	25	33	41
54	1·3764	3814	3865	3916	3968	4019	4071	4124	4176	4229	9	17	26	34	43
55	1·4281	4335	4388	4442	4496	4550	4605	4659	4715	4770	9	18	27	36	45
56	1·4826	4882	4938	4994	5051	5108	5166	5224	5282	5340	10	19	29	38	48
57	1·5399	5458	5517	5577	5637	5697	5757	5818	5880	5941	10	20	30	40	50
58	1·6003	6066	6128	6191	6255	6319	6383	6447	6512	6577	11	21	32	43	53
59	1·6643	6709	6775	6842	6909	6977	7045	7113	7182	7251	11	23	34	45	56
60	1·7321	7391	7461	7532	7603	7675	7747	7820	7893	7966	12	24	36	48	60
61	1·8040	8115	8190	8265	8341	8418	8495	8572	8650	8728	13	26	38	51	64
62	1·8807	8887	8967	9047	9128	9210	9292	9375	9458	9542	14	27	41	55	68
63	1·9626	9711	9797	9883	9970	2·0057	2·0145	2·0233	2·0323	2·0413	15	29	44	58	73
64	2·0503	0594	0686	0778	0872	0965	1060	1155	1251	1348	16	31	47	63	78
65	2·1445	1543	1642	1742	1842	1943	2045	2148	2251	2355	17	34	51	68	85
66	2·2460	2566	2673	2781	2889	2998	3109	3220	3332	3445	18	37	55	73	92
67	2·3559	3673	3789	3906	4023	4142	4262	4383	4504	4627	20	40	60	79	99
68	2·4751	4876	5002	5129	5257	5386	5517	5649	5782	5916	22	43	65	87	108
69	2·6051	6187	6325	6464	6605	6746	6889	7034	7179	7326	24	47	71	95	119
70	2·7475	7625	7776	7929	8083	8239	8397	8556	8716	8878	26	52	78	104	131
71	2·9042	9208	9375	9544	9714	9887	3·0061	3·0237	3·0415	3·0595	29	58	87	116	145
72	3·0777	0961	1146	1334	1524	1716	1910	2106	2305	2506	32	64	96	129	161
73	3·2709	2914	3122	3332	3544	3759	3977	4197	4420	4646	36	72	108	144	180
74	3·4874	5105	5339	5576	5816	6059	6305	6554	6806	7062	41	81	122	163	204
75	3·7321	7583	7848	8118	8391	8667	8947	9232	9520	9812	46	93	139	186	232
76	4·0108	0408	0713	1022	1335	1653	1976	2303	2635	2972	53	107	160	213	267
77	4·3315	3662	4015	4374	4737	5107	5483	5864	6252	6646					
78	4·7046	7453	7867	8288	8716	9152	9594	5·0045	5·0504	5·0970	**Mean differences cease to be sufficiently accurate.**				
79	5·1446	1929	2422	2924	3435	3955	4486	5026	5578	6140					
80	5·6713	7297	7894	8502	9124	9758	6·0405	6·1066	6·1742	6·2432					
81	6·3138	3859	4596	5350	6122	6912	7720	8548	9395	7·0264					
82	7·1154	2066	3002	3962	4947	5958	6996	8062	9158	8·0285					
83	8·1443	2636	3863	5126	6427	7769	9152	9·0579	9·2052	9·3572					
84	9·5144	9·677	9·845	10·02	10·20	10·39	10·58	10·78	10·99	11·20					
85	11·43	11·66	11·91	12·16	12·43	12·71	13·00	13·30	13·62	13·95					
86	14·30	14·67	15·06	15·46	15·89	16·35	16·83	17·34	17·89	18·46					
87	19·08	19·74	20·45	21·20	22·02	22·90	23·86	24·90	26·03	27·27					
88	28·64	30·14	31·82	33·69	35·80	38·19	40·92	44·07	47·74	52·08					
89	57·29	63·66	71·62	81·85	95·49	114·6	143·2	191·0	286·5	573·0					
90	∞														

Degrees	0′ 0°·0	6′ 0°·1	12′ 0°·2	18′ 0°·3	24′ 0°·4	30′ 0°·5	36′ 0°·6	42′ 0°·7	48′ 0°·8	54′ 0°·9	Mean Differences 1	2	3	4	5
0	$-\infty$	$\bar{3}$·2419	$\bar{3}$·5429	7190	8439	9408	$\bar{2}$·0200	$\bar{2}$·0870	$\bar{2}$·1450	$\bar{2}$·1961					
1	$\bar{2}$·2419	2832	3210	3558	3880	4179	4459	4723	4971	5206					
2	$\bar{2}$·5428	5640	5842	6035	6220	6397	6567	6731	6889	7041					
3	$\bar{2}$·7188	7330	7468	7602	7731	7857	7979	8098	8213	8326					
4	$\bar{2}$·8436	8543	8647	8749	8849	8946	9042	9135	9226	9315	16	32	48	64	80
5	$\bar{2}$·9403	9489	9573	9655	9736	9816	9894	9970	$\bar{1}$·0046	$\bar{1}$·0120	13	26	39	52	65
6	$\bar{1}$·0192	0264	0334	0403	0472	0539	0605	0670	0734	0797	11	22	33	44	55
7	$\bar{1}$·0859	0920	0981	1040	1099	1157	1214	1271	1326	1381	10	19	29	38	48
8	$\bar{1}$·1436	1489	1542	1594	1646	1697	1747	1797	1847	1895	8	17	25	34	42
9	$\bar{1}$·1943	1991	2038	2085	2131	2176	2221	2266	2310	2353	8	15	23	30	38
10	$\bar{1}$·2397	2439	2482	2524	2565	2606	2647	2687	2727	2767	7	14	20	27	34
11	$\bar{1}$·2806	2845	2883	2921	2959	2997	3034	3070	3107	3143	6	12	19	25	31
12	$\bar{1}$·3179	3214	3250	3284	3319	3353	3387	3421	3455	3488	6	11	17	23	28
13	$\bar{1}$·3521	3554	3586	3618	3650	3682	3713	3745	3775	3806	5	11	16	21	26
14	$\bar{1}$·3837	3867	3897	3927	3957	3986	4015	4044	4073	4102	5	10	15	20	24
15	$\bar{1}$·4130	4158	4186	4214	4242	4269	4296	4323	4350	4377	5	9	14	18	23
16	$\bar{1}$·4403	4430	4456	4482	4508	4533	4559	4584	4609	4634	4	9	13	17	21
17	$\bar{1}$·4659	4684	4709	4733	4757	4781	4805	4829	4853	4876	4	8	12	16	20
18	$\bar{1}$·4900	4923	4946	4969	4992	5015	5037	5060	5082	5104	4	8	11	15	19
19	$\bar{1}$·5126	5148	5170	5192	5213	5235	5256	5278	5299	5320	4	7	11	14	18
20	$\bar{1}$·5341	5361	5382	5402	5423	5443	5463	5484	5504	5523	3	7	10	14	17
21	$\bar{1}$·5543	5563	5583	5602	5621	5641	5660	5679	5698	5717	3	6	10	13	16
22	$\bar{1}$·5736	5754	5773	5792	5810	5828	5847	5865	5883	5901	3	6	9	12	15
23	$\bar{1}$·5919	5937	5954	5972	5990	6007	6024	6042	6059	6076	3	6	9	12	15
24	$\bar{1}$·6093	6110	6127	6144	6161	6177	6194	6210	6227	6243	3	6	8	11	14
25	$\bar{1}$·6259	6276	6292	6308	6324	6340	6356	6371	6387	6403	3	5	8	11	13
26	$\bar{1}$·6418	6434	6449	6465	6480	6495	6510	6526	6541	6556	3	5	8	10	13
27	$\bar{1}$·6570	6585	6600	6615	6629	6644	6659	6673	6687	6702	2	5	7	10	12
28	$\bar{1}$·6716	6730	6744	6759	6773	6787	6801	6814	6828	6842	2	5	7	9	12
29	$\bar{1}$·6856	6869	6883	6896	6910	6923	6937	6950	6963	6977	2	4	7	9	11
30	$\bar{1}$·6990	7003	7016	7029	7042	7055	7068	7080	7093	7106	2	4	6	9	11
31	$\bar{1}$·7118	7131	7144	7156	7168	7181	7193	7205	7218	7230	2	4	6	8	10
32	$\bar{1}$·7242	7254	7266	7278	7290	7302	7314	7326	7338	7349	2	4	6	8	10
33	$\bar{1}$·7361	7373	7384	7396	7407	7419	7430	7442	7453	7464	2	4	6	8	10
34	$\bar{1}$·7476	7487	7498	7509	7520	7531	7542	7553	7564	7575	2	4	6	7	9
35	$\bar{1}$·7586	7597	7607	7618	7629	7640	7650	7661	7671	7682	2	4	5	7	9
36	$\bar{1}$·7692	7703	7713	7723	7734	7744	7754	7764	7774	7785	2	3	5	7	9
37	$\bar{1}$·7795	7805	7815	7825	7835	7844	7854	7864	7874	7884	2	3	5	7	8
38	$\bar{1}$·7893	7903	7913	7922	7932	7941	7951	7960	7970	7979	2	3	5	6	8
39	$\bar{1}$·7989	7998	8007	8017	8026	8035	8044	8053	8063	8072	2	3	5	6	8
40	$\bar{1}$·8081	8090	8099	8108	8117	8125	8134	8143	8152	8161	1	3	4	6	7
41	$\bar{1}$·8169	8178	8187	8195	8204	8213	8221	8230	8238	8247	1	3	4	6	7
42	$\bar{1}$·8255	8264	8272	8280	8289	8297	8305	8313	8322	8330	1	3	4	6	7
43	$\bar{1}$·8338	8346	8354	8362	8370	8378	8386	8394	8402	8410	1	3	4	5	7
44	$\bar{1}$·8418	8426	8433	8441	8449	8457	8464	8472	8480	8487	1	3	4	5	6

LOGARITHMS OF SINES

Degrees	0′ 0°·0	6′ 0°·1	12′ 0°·2	18′ 0°·3	24′ 0°·4	30′ 0°·5	36′ 0°·6	42′ 0°·7	48′ 0°·8	54′ 0°·9	Mean Differences 1	2	3	4	5
45	$\bar{1}$·8495	8502	8510	8517	8525	8532	8540	8547	8555	8562	1	2	4	5	6
46	$\bar{1}$·8569	8577	8584	8591	8598	8606	8613	8620	8627	8634	1	2	4	5	6
47	$\bar{1}$·8641	8648	8655	8662	8669	8676	8683	8690	8697	8704	1	2	3	5	6
48	$\bar{1}$·8711	8718	8724	8731	8738	8745	8751	8758	8765	8771	1	2	3	4	6
49	$\bar{1}$·8778	8784	8791	8797	8804	8810	8817	8823	8830	8836	1	2	3	4	5
50	$\bar{1}$·8843	8849	8855	8862	8868	8874	8880	8887	8893	8899	1	2	3	4	5
51	$\bar{1}$·8905	8911	8917	8923	8929	8935	8941	8947	8953	8959	1	2	3	4	5
52	$\bar{1}$·8965	8971	8977	8983	8989	8995	9000	9006	9012	9018	1	2	3	4	5
53	$\bar{1}$·9023	9029	9035	9041	9046	9052	9057	9063	9069	9074	1	2	3	4	5
54	$\bar{1}$·9080	9085	9091	9096	9101	9107	9112	9118	9123	9128	1	2	3	4	5
55	$\bar{1}$·9134	9139	9144	9149	9155	9160	9165	9170	9175	9181	1	2	3	3	4
56	$\bar{1}$·9186	9191	9196	9201	9206	9211	9216	9221	9226	9231	1	2	3	3	4
57	$\bar{1}$·9236	9241	9246	9251	9255	9260	9265	9270	9275	9279	1	2	2	3	4
58	$\bar{1}$·9284	9289	9294	9298	9303	9308	9312	9317	9322	9326	1	2	2	3	4
59	$\bar{1}$·9331	9335	9340	9344	9349	9353	9358	9362	9367	9371	1	1	2	3	4
60	$\bar{1}$·9375	9380	9384	9388	9393	9397	9401	9406	9410	9414	1	1	2	3	4
61	$\bar{1}$·9418	9422	9427	9431	9435	9439	9443	9447	9451	9455	1	1	2	3	3
62	$\bar{1}$·9459	9463	9467	9471	9475	9479	9483	9487	9491	9495	1	1	2	3	3
63	$\bar{1}$·9499	9503	9506	9510	9514	9518	9522	9525	9529	9533	1	1	2	3	3
64	$\bar{1}$·9537	9540	9544	9548	9551	9555	9558	9562	9566	9569	1	1	2	2	3
65	$\bar{1}$·9573	9576	9580	9583	9587	9590	9594	9597	9601	9604	1	1	2	2	3
66	$\bar{1}$·9607	9611	9614	9617	9621	9624	9627	9631	9634	9637	1	1	2	2	3
67	$\bar{1}$·9640	9643	9647	9650	9653	9656	9659	9662	9666	9669	1	1	2	2	3
68	$\bar{1}$·9672	9675	9678	9681	9684	9687	9690	9693	9696	9699	0	1	1	2	2
69	$\bar{1}$·9702	9704	9707	9710	9713	9716	9719	9722	9724	9727	0	1	1	2	2
70	$\bar{1}$·9730	9733	9735	9738	9741	9743	9746	9749	9751	9754	0	1	1	2	2
71	$\bar{1}$·9757	9759	9762	9764	9767	9770	9772	9775	9777	9780	0	1	1	2	2
72	$\bar{1}$·9782	9785	9787	9789	9792	9794	9797	9799	9801	9804	0	1	1	2	2
73	$\bar{1}$·9806	9808	9811	9813	9815	9817	9820	9822	9824	9826	0	1	1	2	2
74	$\bar{1}$·9828	9831	9833	9835	9837	9839	9841	9843	9845	9847	0	1	1	1	2
75	$\bar{1}$·9849	9851	9853	9855	9857	9859	9861	9863	9865	9867	0	1	1	1	2
76	$\bar{1}$·9869	9871	9873	9875	9876	9878	9880	9882	9884	9885	0	1	1	1	2
77	$\bar{1}$·9887	9889	9891	9892	9894	9896	9897	9899	9901	9902	0	1	1	1	1
78	$\bar{1}$·9904	9906	9907	9909	9910	9912	9913	9915	9916	9918	0	1	1	1	1
79	$\bar{1}$·9919	9921	9922	9924	9925	9927	9928	9929	9931	9932	0	0	1	1	1
80	$\bar{1}$·9934	9935	9936	9937	9939	9940	9941	9943	9944	9945	0	0	1	1	1
81	$\bar{1}$·9946	9947	9949	9950	9951	9952	9953	9954	9955	9956	0	0	1	1	1
82	$\bar{1}$·9958	9959	9960	9961	9962	9963	9964	9965	9966	9967	0	0	1	1	1
83	$\bar{1}$·9968	9968	9969	9970	9971	9972	9973	9974	9975	9975	0	0	0	1	1
84	$\bar{1}$·9976	9977	9978	9978	9979	9980	9981	9981	9982	9983	0	0	0	0	1
85	$\bar{1}$·9983	9984	9985	9985	9986	9987	9987	9988	9988	9989	0	0	0	0	0
86	$\bar{1}$·9989	9990	9990	9991	9991	9992	9992	9993	9993	9994	0	0	0	0	0
87	$\bar{1}$·9994	9994	9995	9995	9996	9996	9996	9996	9997	9997	0	0	0	0	0
88	$\bar{1}$·9997	9998	9998	9998	9998	9999	9999	9999	9999	9999	0	0	0	0	0
89	$\bar{1}$·9999	9999	0·0000	0000	0000	0000	0000	0000	0000	0000					
90	0·0000														

LOGARITHMS OF COSINES

[*Numbers in difference columns to be subtracted, not added.*]

Degrees	0′ 0°·0	6′ 0°·1	12′ 0°·2	18′ 0°·3	24′ 0°·4	30′ 0°·5	36′ 0°·6	42′ 0°·7	48′ 0°·8	54′ 0°·9	Mean Differences 1	2	3	4	5
0	0·0000	0000	0000	0000	0000	0000	0000	0000	0000	$\bar{1}$·9999	0	0	0	0	0
1	$\bar{1}$·9999	9999	9999	9999	9999	9999	9998	9998	9998	9998	0	0	0	0	0
2	$\bar{1}$·9997	9997	9997	9996	9996	9996	9996	9995	9995	9994	0	0	0	0	0
3	$\bar{1}$·9994	9994	9993	9993	9992	9992	9991	9991	9990	9990	0	0	0	0	0
4	$\bar{1}$·9989	9989	9988	9988	9987	9987	9986	9985	9985	9984	0	0	0	0	0
5	$\bar{1}$·9983	9983	9982	9981	9981	9980	9979	9978	9978	9977	0	0	0	0	1
6	$\bar{1}$·9976	9975	9975	9974	9973	9972	9971	9970	9969	9968	0	0	0	1	1
7	$\bar{1}$·9968	9967	9966	9965	9964	9963	9962	9961	9960	9959	0	0	1	1	1
8	$\bar{1}$·9958	9956	9955	9954	9953	9952	9951	9950	9949	9947	0	0	1	1	1
9	$\bar{1}$·9946	9945	9944	9943	9941	9940	9939	9937	9936	9935	0	0	1	1	1
10	$\bar{1}$·9934	9932	9931	9929	9928	9927	9925	9924	9922	9921	0	0	1	1	1
11	$\bar{1}$·9919	9918	9916	9915	9913	9912	9910	9909	9907	9906	0	1	1	1	1
12	$\bar{1}$·9904	9902	9901	9899	9897	9896	9894	9892	9891	9889	0	1	1	1	1
13	$\bar{1}$·9887	9885	9884	9882	9880	9878	9876	9875	9873	9871	0	1	1	1	2
14	$\bar{1}$·9869	9867	9865	9863	9861	9859	9857	9855	9853	9851	0	1	1	1	2
15	$\bar{1}$·9849	9847	9845	9843	9841	9839	9837	9835	9833	9831	0	1	1	1	2
16	$\bar{1}$·9828	9826	9824	9822	9820	9817	9815	9813	9811	9808	0	1	1	2	2
17	$\bar{1}$·9806	9804	9801	9799	9797	9794	9792	9789	9787	9785	0	1	1	2	2
18	$\bar{1}$·9782	9780	9777	9775	9772	9770	9767	9764	9762	9759	0	1	1	2	2
19	$\bar{1}$·9757	9754	9751	9749	9746	9743	9741	9738	9735	9733	0	1	1	2	2
20	$\bar{1}$·9730	9727	9724	9722	9719	9716	9713	9710	9707	9704	0	1	1	2	2
21	$\bar{1}$·9702	9699	9696	9693	9690	9687	9684	9681	9678	9675	0	1	1	2	2
22	$\bar{1}$·9672	9669	9666	9662	9659	9656	9653	9650	9647	9643	1	1	2	2	3
23	$\bar{1}$·9640	9637	9634	9631	9627	9624	9621	9617	9614	9611	1	1	2	2	3
24	$\bar{1}$·9607	9604	9601	9597	9594	9590	9587	9583	9580	9576	1	1	2	2	3
25	$\bar{1}$·9573	9569	9566	9562	9558	9555	9551	9548	9544	9540	1	1	2	2	3
26	$\bar{1}$·9537	9533	9529	9525	9522	9518	9514	9510	9506	9503	1	1	2	3	3
27	$\bar{1}$·9499	9495	9491	9487	9483	9479	9475	9471	9467	9463	1	1	2	3	3
28	$\bar{1}$·9459	9455	9451	9447	9443	9439	9435	9431	9427	9422	1	1	2	3	3
29	$\bar{1}$·9418	9414	9410	9406	9401	9397	9393	9388	9384	9380	1	1	2	3	4
30	$\bar{1}$·9375	9371	9367	9362	9358	9353	9349	9344	9340	9335	1	1	2	3	4
31	$\bar{1}$·9331	9326	9322	9317	9312	9308	9303	9298	9294	9289	1	2	2	3	4
32	$\bar{1}$·9284	9279	9275	9270	9265	9260	9255	9251	9246	9241	1	2	2	3	4
33	$\bar{1}$·9236	9231	9226	9221	9216	9211	9206	9201	9196	9191	1	2	3	3	4
34	$\bar{1}$·9186	9181	9175	9170	9165	9160	9155	9149	9144	9139	1	2	3	3	4
35	$\bar{1}$·9134	9128	9123	9118	9112	9107	9101	9096	9091	9085	1	2	3	4	5
36	$\bar{1}$·9080	9074	9069	9063	9057	9052	9046	9041	9035	9029	1	2	3	4	5
37	$\bar{1}$·9023	9018	9012	9006	9000	8995	8989	8983	8977	8971	1	2	3	4	5
38	$\bar{1}$·8965	8959	8953	8947	8941	8935	8929	8923	8917	8911	1	2	3	4	5
39	$\bar{1}$·8905	8899	8893	8887	8880	8874	8868	8862	8855	8849	1	2	3	4	5
40	$\bar{1}$·8843	8836	8830	8823	8817	8810	8804	8797	8791	8784	1	2	3	4	5
41	$\bar{1}$·8778	8771	8765	8758	8751	8745	8738	8731	8724	8718	1	2	3	5	6
42	$\bar{1}$·8711	8704	8697	8690	8683	8676	8669	8662	8655	8648	1	2	3	5	6
43	$\bar{1}$·8641	8634	8627	8620	8613	8606	8598	8591	8584	8577	1	2	4	5	6
44	$\bar{1}$·8569	8562	8555	8547	8540	8532	8525	8517	8510	8502	1	2	4	5	6

LOGARITHMS OF COSINES

[Numbers in difference columns to be subtracted, not added.]

Degrees	0′ 0°·0	6′ 0°·1	12′ 0°·2	18′ 0°·3	24′ 0°·4	30′ 0°·5	36′ 0°·6	42′ 0°·7	48′ 0°·8	54′ 0°·9	Mean Differences 1	2	3	4	5
45	$\bar{1}$·8495	8487	8480	8472	8464	8457	8449	8441	8433	8426	1	3	4	5	6
46	$\bar{1}$·8418	8410	8402	8394	8386	8378	8370	8362	8354	8346	1	3	4	5	7
47	$\bar{1}$·8338	8330	8322	8313	8305	8297	8289	8280	8272	8264	1	3	4	6	7
48	$\bar{1}$·8255	8247	8238	8230	8221	8213	8204	8195	8187	8178	1	3	4	6	7
49	$\bar{1}$·8169	8161	8152	8143	8134	8125	8117	8108	8099	8090	1	3	4	6	7
50	$\bar{1}$·8081	8072	8063	8053	8044	8035	8026	8017	8007	7998	2	3	5	6	8
51	$\bar{1}$·7989	7979	7970	7960	7951	7941	7932	7922	7913	7903	2	3	5	6	8
52	$\bar{1}$·7893	7884	7874	7864	7854	7844	7835	7825	7815	7805	2	3	5	7	8
53	$\bar{1}$·7795	7785	7774	7764	7754	7744	7734	7723	7713	7703	2	3	5	7	9
54	$\bar{1}$·7692	7682	7671	7661	7650	7640	7629	7618	7607	7597	2	4	5	7	9
55	$\bar{1}$·7586	7575	7564	7553	7542	7531	7520	7509	7498	7487	2	4	6	7	9
56	$\bar{1}$·7476	7464	7453	7442	7430	7419	7407	7396	7384	7373	2	4	6	8	10
57	$\bar{1}$·7361	7349	7338	7326	7314	7302	7290	7278	7266	7254	2	4	6	8	10
58	$\bar{1}$·7242	7230	7218	7205	7193	7181	7168	7156	7144	7131	2	4	6	8	10
59	$\bar{1}$·7118	7106	7093	7080	7068	7055	7042	7029	7016	7003	2	4	6	9	11
60	$\bar{1}$·6990	6977	6963	6950	6937	6923	6910	6896	6883	6869	2	4	7	9	11
61	$\bar{1}$·6856	6842	6828	6814	6801	6787	6773	6759	6744	6730	2	5	7	9	12
62	$\bar{1}$·6716	6702	6687	6673	6659	6644	6629	6615	6600	6585	2	5	7	10	12
63	$\bar{1}$·6570	6556	6541	6526	6510	6495	6480	6465	6449	6434	3	5	8	10	13
64	$\bar{1}$·6418	6403	6387	6371	6356	6340	6324	6308	6292	6276	3	5	8	11	13
65	$\bar{1}$·6259	6243	6227	6210	6194	6177	6161	6144	6127	6110	3	6	8	11	14
66	$\bar{1}$·6093	6076	6059	6042	6024	6007	5990	5972	5954	5937	3	6	9	12	15
67	$\bar{1}$·5919	5901	5883	5865	5847	5828	5810	5792	5773	5754	3	6	9	12	15
68	$\bar{1}$·5736	5717	5698	5679	5660	5641	5621	5602	5583	5563	3	6	10	13	16
69	$\bar{1}$·5543	5523	5504	5484	5463	5443	5423	5402	5382	5361	3	7	10	14	17
70	$\bar{1}$·5341	5320	5299	5278	5256	5235	5213	5192	5170	5148	4	7	11	14	18
71	$\bar{1}$·5126	5104	5082	5060	5037	5015	4992	4969	4946	4923	4	8	11	15	19
72	$\bar{1}$·4900	4876	4853	4829	4805	4781	4757	4733	4709	4684	4	8	12	16	20
73	$\bar{1}$·4659	4634	4609	4584	4559	4533	4508	4482	4456	4430	4	9	13	17	21
74	$\bar{1}$·4403	4377	4350	4323	4296	4269	4242	4214	4186	4158	5	9	14	18	23
75	$\bar{1}$·4130	4102	4073	4044	4015	3986	3957	3927	3897	3867	5	10	15	20	24
76	$\bar{1}$·3837	3806	3775	3745	3713	3682	3650	3618	3586	3554	5	11	16	21	26
77	$\bar{1}$·3521	3488	3455	3421	3387	3353	3319	3284	3250	3214	6	11	17	23	28
78	$\bar{1}$·3179	3143	3107	3070	3034	2997	2959	2921	2883	2845	6	12	19	25	31
79	$\bar{1}$·2806	2767	2727	2687	2647	2606	2565	2524	2482	2439	7	14	20	27	34
80	$\bar{1}$·2397	2353	2310	2266	2221	2176	2131	2085	2038	1991	8	15	23	30	38
81	$\bar{1}$·1943	1895	1847	1797	1747	1697	1646	1594	1542	1489	8	17	25	34	42
82	$\bar{1}$·1436	1381	1326	1271	1214	1157	1099	1040	0981	0920	10	19	29	38	48
83	$\bar{1}$·0859	0797	0734	0670	0605	0539	0472	0403	0334	0264	11	22	33	44	55
84	$\bar{1}$·0192	0120	0046	$\bar{2}$·9970	$\bar{2}$·9894	$\bar{2}$·9816	$\bar{2}$·9736	$\bar{2}$·9655	$\bar{2}$·9573	$\bar{2}$·9489	13	26	39	52	65
85	$\bar{2}$·9403	9315	9226	9135	9042	8946	8849	8749	8647	8543	16	32	48	64	80
86	$\bar{2}$·8436	8326	8213	8098	7979	7857	7731	7602	7468	7330					
87	$\bar{2}$·7188	7041	6889	6731	6567	6397	6220	6035	5842	5640					
88	$\bar{2}$·5428	5206	4971	4723	4459	4179	3880	3558	3210	2832					
89	$\bar{2}$·2419	1961	1450	0870	0200	$\bar{3}$·9408	$\bar{3}$·8439	$\bar{3}$·7190	$\bar{3}$·5429	$\bar{3}$·2419					
90	∞														

LOGARITHMS OF TANGENTS

Degrees	0′ 0°·0	6′ 0°·1	12′ 0°·2	18′ 0°·3	24′ 0°·4	30′ 0°·5	36′ 0°·6	42′ 0°·7	48′ 0°·8	54′ 0°·9	Mean Differences 1	2	3	4	5
0	$-\infty$	$\bar{3}$·2419	$\bar{3}$·5429	$\bar{3}$·7190	$\bar{3}$·8439	$\bar{3}$·9409	$\bar{2}$·0200	$\bar{2}$·0870	$\bar{2}$·1450	$\bar{2}$·1962					
1	$\bar{2}$·2419	2833	3211	3559	3881	4181	4461	4725	4973	5208					
2	$\bar{2}$·5431	5643	5845	6038	6223	6401	6571	6736	6894	7046					
3	$\bar{2}$·7194	7337	7475	7609	7739	7865	7988	8107	8223	8336					
4	$\bar{2}$·8446	8554	8659	8762	8862	8960	9056	9150	9241	9331	16	32	48	64	81
5	$\bar{2}$·9420	9506	9591	9674	9756	9836	9915	9992	$\bar{1}$·0068	$\bar{1}$·0143	13	26	40	53	66
6	$\bar{1}$·0216	0289	0360	0430	0499	0567	0633	0699	0764	0828	11	22	34	45	56
7	$\bar{1}$·0891	0954	1015	1076	1135	1194	1252	1310	1367	1423	10	20	29	39	49
8	$\bar{1}$·1478	1533	1587	1640	1693	1745	1797	1848	1898	1948	9	17	26	35	43
9	$\bar{1}$·1997	2046	2094	2142	2189	2236	2282	2328	2374	2419	8	16	23	31	39
10	$\bar{1}$·2463	2507	2551	2594	2637	2680	2722	2764	2805	2846	7	14	21	28	35
11	$\bar{1}$·2887	2927	2967	3006	3046	3085	3123	3162	3200	3237	6	13	19	26	32
12	$\bar{1}$·3275	3312	3349	3385	3422	3458	3493	3529	3564	3599	6	12	18	24	30
13	$\bar{1}$·3634	3668	3702	3736	3770	3804	3837	3870	3903	3935	6	11	17	22	28
14	$\bar{1}$·3968	4000	4032	4064	4095	4127	4158	4189	4220	4250	5	10	16	21	26
15	$\bar{1}$·4281	4311	4341	4371	4400	4430	4459	4488	4517	4546	5	10	15	20	25
16	$\bar{1}$·4575	4603	4632	4660	4688	4716	4744	4771	4799	4826	5	9	14	19	23
17	$\bar{1}$·4853	4880	4907	4934	4961	4987	5014	5040	5066	5092	4	9	13	18	22
18	$\bar{1}$·5118	5143	5169	5195	5220	5245	5270	5295	5320	5345	4	8	13	17	21
19	$\bar{1}$·5370	5394	5419	5443	5467	5491	5516	5539	5563	5587	4	8	12	16	20
20	$\bar{1}$·5611	5634	5658	5681	5704	5727	5750	5773	5796	5819	4	8	12	15	19
21	$\bar{1}$·5842	5864	5887	5909	5932	5954	5976	5998	6020	6042	4	7	11	15	19
22	$\bar{1}$·6064	6086	6108	6129	6151	6172	6194	6215	6236	6257	4	7	11	14	18
23	$\bar{1}$·6279	6300	6321	6341	6362	6383	6404	6424	6445	6465	3	7	10	14	17
24	$\bar{1}$·6486	6506	6527	6547	6567	6587	6607	6627	6647	6667	3	7	10	13	17
25	$\bar{1}$·6687	6706	6726	6746	6765	6785	6804	6824	6843	6863	3	7	10	13	16
26	$\bar{1}$·6882	6901	6920	6939	6958	6977	6996	7015	7034	7053	3	6	9	13	16
27	$\bar{1}$·7072	7090	7109	7128	7146	7165	7183	7202	7220	7238	3	6	9	12	15
28	$\bar{1}$·7257	7275	7293	7311	7330	7348	7366	7384	7402	7420	3	6	9	12	15
29	$\bar{1}$·7438	7455	7473	7491	7509	7526	7544	7562	7579	7597	3	6	9	12	15
30	$\bar{1}$·7614	7632	7649	7667	7684	7701	7719	7736	7753	7771	3	6	9	12	14
31	$\bar{1}$·7788	7805	7822	7839	7856	7873	7890	7907	7924	7941	3	6	9	11	14
32	$\bar{1}$·7958	7975	7992	8008	8025	8042	8059	8075	8092	8109	3	6	8	11	14
33	$\bar{1}$·8125	8142	8158	8175	8191	8208	8224	8241	8257	8274	3	5	8	11	14
34	$\bar{1}$·8290	8306	8323	8339	8355	8371	8388	8404	8420	8436	3	5	8	11	14
35	$\bar{1}$·8452	8468	8484	8501	8517	8533	8549	8565	8581	8597	3	5	8	11	13
36	$\bar{1}$·8613	8629	8644	8660	8676	8692	8708	8724	8740	8755	3	5	8	11	13
37	$\bar{1}$·8771	8787	8803	8818	8834	8850	8865	8881	8897	8912	3	5	8	10	13
38	$\bar{1}$·8928	8944	8959	8975	8990	9006	9022	9037	9053	9068	3	5	8	10	13
39	$\bar{1}$·9084	9099	9115	9130	9146	9161	9176	9192	9207	9223	3	5	8	10	13
40	$\bar{1}$·9238	9254	9269	9284	9300	9315	9330	9346	9361	9376	3	5	8	10	13
41	$\bar{1}$·9392	9407	9422	9438	9453	9468	9483	9499	9514	9529	3	5	8	10	13
42	$\bar{1}$·9544	9560	9575	9590	9605	9621	9636	9651	9666	9681	3	5	8	10	13
43	$\bar{1}$·9697	9712	9727	9742	9757	9772	9788	9803	9818	9833	3	5	8	10	13
44	$\bar{1}$·9848	9864	9879	9894	9909	9924	9939	9955	9970	9985	3	5	8	10	13

LOGARITHMS OF TANGENTS

Degrees	0′ 0°·0	6′ 0°·1	12′ 0°·2	18′ 0°·3	24′ 0°·4	30′ 0°·5	36′ 0°·6	42′ 0°·7	48′ 0°·8	54′ 0°·9	Mean Differences 1	2	3	4	5
45	·0000	0015	0030	0045	0061	0076	0091	0106	0121	0136	3	5	8	10	13
46	·0152	0167	0182	0197	0212	0228	0243	0258	0273	0288	3	5	8	10	13
47	·0303	0319	0334	0349	0364	0379	0395	0410	0425	0440	3	5	8	10	13
48	·0456	0471	0486	0501	0517	0532	0547	0562	0578	0593	3	5	8	10	13
49	·0608	0624	0639	0654	0670	0685	0700	0716	0731	0746	3	5	8	10	13
50	·0762	0777	0793	0808	0824	0839	0854	0870	0885	0901	3	5	8	10	13
51	·0916	0932	0947	0963	0978	0994	1010	1025	1041	1056	3	5	8	10	13
52	·1072	1088	1103	1119	1135	1150	1166	1182	1197	1213	3	5	8	10	13
53	·1229	1245	1260	1276	1292	1308	1324	1340	1356	1371	3	5	8	11	13
54	·1387	1403	1419	1435	1451	1467	1483	1499	1516	1532	3	5	8	11	13
55	·1548	1564	1580	1596	1612	1629	1645	1661	1677	1694	3	5	8	11	14
56	·1710	1726	1743	1759	1776	1792	1809	1825	1842	1858	3	5	8	11	14
57	·1875	1891	1908	1925	1941	1958	1975	1992	2008	2025	3	6	8	11	14
58	·2042	2059	2076	2093	2110	2127	2144	2161	2178	2195	3	6	9	11	14
59	·2212	2229	2247	2264	2281	2299	2316	2333	2351	2368	3	6	9	12	14
60	·2386	2403	2421	2438	2456	2474	2491	2509	2527	2545	3	6	9	12	15
61	·2562	2580	2598	2616	2634	2652	2670	2689	2707	2725	3	6	9	12	15
62	·2743	2762	2780	2798	2817	2835	2854	2872	2891	2910	3	6	9	12	15
63	·2928	2947	2966	2985	3004	3023	3042	3061	3080	3099	3	6	9	13	16
64	·3118	3137	3157	3176	3196	3215	3235	3254	3274	3294	3	6	10	13	16
65	·3313	3333	3353	3373	3393	3413	3433	3453	3473	3494	3	7	10	13	17
66	·3514	3535	3555	3576	3596	3617	3638	3659	3679	3700	3	7	10	14	17
67	·3721	3743	3764	3785	3806	3828	3849	3871	3892	3914	4	7	11	14	18
68	·3936	3958	3980	4002	4024	4046	4068	4091	4113	4136	4	7	11	15	19
69	·4158	4181	4204	4227	4250	4273	4296	4319	4342	4366	4	8	12	15	19
70	·4389	4413	4437	4461	4484	4509	4533	4557	4581	4606	4	8	12	16	20
71	·4630	4655	4680	4705	4730	4755	4780	4805	4831	4857	4	8	13	17	21
72	·4882	4908	4934	4960	4986	5013	5039	5066	5093	5120	4	9	13	18	22
73	·5147	5174	5201	5229	5256	5284	5312	5340	5368	5397	5	9	14	19	23
74	·5425	5454	5483	5512	5541	5570	5600	5629	5659	5689	5	10	15	20	25
75	·5719	5750	5780	5811	5842	5873	5905	5936	5968	6000	5	10	16	21	26
76	·6032	6065	6097	6130	6163	6196	6230	6264	6298	6332	6	11	17	22	28
77	·6366	6401	6436	6471	6507	6542	6578	6615	6651	6688	6	12	18	24	30
78	·6725	6763	6800	6838	6877	6915	6954	6994	7033	7073	6	13	19	26	32
79	·7113	7154	7195	7236	7278	7320	7363	7406	7449	7493	7	14	21	28	35
80	·7537	7581	7626	7672	7718	7764	7811	7858	7906	7954	8	16	23	31	39
81	·8003	8052	8102	8152	8203	8255	8307	8360	8413	8467	9	17	26	35	43
82	·8522	8577	8633	8690	8748	8806	8865	8924	8985	9046	10	20	29	39	49
83	·9109	9172	9236	9301	9367	9433	9501	9570	9640	9711	11	22	34	45	56
84	·9784	9857	9932	1·0008	1·0085	1·0164	1·0244	1·0326	1·0409	1·0494	13	26	40	53	66
85	1·0580	0669	0759	0850	0944	1040	1138	1238	1341	1446	16	32	48	64	81
86	1·1554	1664	1777	1893	2012	2135	2261	2391	2525	2663					
87	1·2806	2954	3106	3264	3429	3599	3777	3962	4155	4357					
88	1·4569	4792	5027	5275	5539	5819	6119	6441	6789	7167					
89	1·7581	8038	8550	9130	9800	2·0591	2·1561	2·2810	2·4571	2·7581					

DEGREES TO RADIANS

Degrees	0′ 0°·0	6′ 0°·1	12′ 0°·2	18′ 0°·3	24′ 0°·4	30′ 0°·5	36′ 0°·6	42′ 0°·7	48′ 0°·8	54′ 0°·9	Mean Differences 1	2	3	4	5
0	·0000	0017	0035	0052	0070	0087	0105	0122	0140	0157	3	6	9	12	15
1	·0175	0192	0209	0227	0244	0262	0279	0297	0314	0332	3	6	9	12	15
2	·0349	0367	0384	0401	0419	0436	0454	0471	0489	0506	3	6	9	12	15
3	·0524	0541	0559	0576	0593	0611	0628	0646	0663	0681	3	6	9	12	15
4	·0698	0716	0733	0750	0768	0785	0803	0820	0838	0855	3	6	9	12	15
5	·0873	0890	0908	0925	0942	0960	0977	0995	1012	1030	3	6	9	12	15
6	·1047	1065	1082	1100	1117	1134	1152	1169	1187	1204	3	6	9	12	15
7	·1222	1239	1257	1274	1292	1309	1326	1344	1361	1379	3	6	9	12	15
8	·1396	1414	1431	1449	1466	1484	1501	1518	1536	1553	3	6	9	12	15
9	·1571	1588	1606	1623	1641	1658	1676	1693	1710	1728	3	6	9	12	15
10	·1745	1763	1780	1798	1815	1833	1850	1868	1885	1902	3	6	9	12	15
11	·1920	1937	1955	1972	1990	2007	2025	2042	2060	2077	3	6	9	12	15
12	·2094	2112	2129	2147	2164	2182	2199	2217	2234	2251	3	6	9	12	15
13	·2269	2286	2304	2321	2339	2356	2374	2391	2409	2426	3	6	9	12	15
14	·2443	2461	2478	2496	2513	2531	2548	2566	2583	2601	3	6	9	12	15
15	·2618	2635	2653	2670	2688	2705	2723	2740	2758	2775	3	6	9	12	15
16	·2793	2810	2827	2845	2862	2880	2897	2915	2932	2950	3	6	9	12	15
17	·2967	2985	3002	3019	3037	3054	3072	3089	3107	3124	3	6	9	12	15
18	·3142	3159	3176	3194	3211	3229	3246	3264	3281	3299	3	6	9	12	15
19	·3316	3334	3351	3368	3386	3403	3421	3438	3456	3473	3	6	9	12	15
20	·3491	3508	3526	3543	3560	3578	3595	3613	3630	3648	3	6	9	12	15
21	·3665	3683	3700	3718	3735	3752	3770	3787	3805	3822	3	6	9	12	15
22	·3840	3857	3875	3892	3910	3927	3944	3962	3979	3997	3	6	9	12	15
23	·4014	4032	4049	4067	4084	4102	4119	4136	4154	4171	3	6	9	12	15
24	·4189	4206	4224	4241	4259	4276	4294	4311	4328	4346	3	6	9	12	15
25	·4363	4381	4398	4416	4433	4451	4468	4485	4503	4520	3	6	9	12	15
26	·4538	4555	4573	4590	4608	4625	4643	4660	4677	4695	3	6	9	12	15
27	·4712	4730	4747	4765	4782	4800	4817	4835	4852	4869	3	6	9	12	15
28	·4887	4904	4922	4939	4957	4974	4992	5009	5027	5044	3	6	9	12	15
29	·5061	5079	5096	5114	5131	5149	5166	5184	5201	5219	3	6	9	12	15
30	·5236	5253	5271	5288	5306	5323	5341	5358	5376	5393	3	6	9	12	15
31	·5411	5428	5445	5463	5480	5498	5515	5533	5550	5568	3	6	9	12	15
32	·5585	5603	5620	5637	5655	5672	5690	5707	5725	5742	3	6	9	12	15
33	·5760	5777	5794	5812	5829	5847	5864	5882	5899	5917	3	6	9	12	15
34	·5934	5952	5969	5986	6004	6021	6039	6056	6074	6091	3	6	9	12	15
35	·6109	6126	6144	6161	6178	6196	6213	6231	6248	6266	3	6	9	12	15
36	·6283	6301	6318	6336	6353	6370	6388	6405	6423	6440	3	6	9	12	15
37	·6458	6475	6493	6510	6528	6545	6562	6580	6597	6615	3	6	9	12	15
38	·6632	6650	6667	6685	6702	6720	6737	6754	6772	6789	3	6	9	12	15
39	·6807	6824	6842	6859	6877	6894	6912	6929	6946	6964	3	6	9	12	15
40	·6981	6999	7016	7034	7051	7069	7086	7103	7121	7138	3	6	9	12	15
41	·7156	7173	7191	7208	7226	7243	7261	7278	7295	7313	3	6	9	12	15
42	·7330	7348	7365	7383	7400	7418	7435	7453	7470	7487	3	6	9	12	15
43	·7505	7522	7540	7557	7575	7592	7610	7627	7645	7662	3	6	9	12	15
44	·7679	7697	7714	7732	7749	7767	7784	7802	7819	7837	3	6	9	12	15
45	·7854	7871	7889	7906	7924	7941	7959	7976	7994	8011	3	6	9	12	15

DEGREES TO RADIANS

Degrees	0′ 0°·0	6′ 0°·1	12′ 0°·2	18′ 0°·3	24′ 0°·4	30′ 0°·5	36′ 0°·6	42′ 0°·7	48′ 0°·8	54′ 0°·9	Mean Differences 1	2	3	4	5
45	·7854	7871	7889	7906	7924	7941	7959	7976	7994	8011	3	6	9	12	15
46	·8029	8046	8063	8081	8098	8116	8133	8151	8168	8186	3	6	9	12	15
47	·8203	8221	8238	8255	8273	8290	8308	8325	8343	8360	3	6	9	12	15
48	·8378	8395	8412	8430	8447	8465	8482	8500	8517	8535	3	6	9	12	15
49	·8552	8570	8587	8604	8622	8639	8657	8674	8692	8709	3	6	9	12	15
50	·8727	8744	8762	8779	8796	8814	8831	8849	8866	8884	3	6	9	12	15
51	·8901	8919	8936	8954	8971	8988	9006	9023	9041	9058	3	6	9	12	15
52	·9076	9093	9111	9128	9146	9163	9180	9198	9215	9233	3	6	9	12	15
53	·9250	9268	9285	9303	9320	9338	9355	9372	9390	9407	3	6	9	12	15
54	·9425	9442	9460	9477	9495	9512	9529	9547	9564	9582	3	6	9	12	15
55	·9599	9617	9634	9652	9669	9687	9704	9721	9739	9756	3	6	9	12	15
56	·9774	9791	9809	9826	9844	9861	9879	9896	9913	9931	3	6	9	12	15
57	·9948	9966	9983	1·0001	1·0018	1·0036	1·0053	1·0071	1·0088	1·0105	3	6	9	12	15
58	1·0123	0140	0158	0175	0193	0210	0228	0245	0263	0280	3	6	9	12	15
59	1·0297	0315	0332	0350	0367	0385	0402	0420	0437	0455	3	6	9	12	15
60	1·0472	0489	0507	0524	0542	0559	0577	0594	0612	0629	3	6	9	12	15
61	1·0647	0664	0681	0699	0716	0734	0751	0769	0786	0804	3	6	9	12	15
62	1·0821	0838	0856	0873	0891	0908	0926	0943	0961	0978	3	6	9	12	15
63	1·0996	1013	1030	1048	1065	1083	1100	1118	1135	1153	3	6	9	12	15
64	1·1170	1188	1205	1222	1240	1257	1275	1292	1310	1327	3	6	9	12	15
65	1·1345	1362	1380	1397	1414	1432	1449	1467	1484	1502	3	6	9	12	15
66	1·1519	1537	1554	1572	1589	1606	1624	1641	1659	1676	3	6	9	12	15
67	1·1694	1711	1729	1746	1764	1781	1798	1816	1833	1851	3	6	9	12	15
68	1·1868	1886	1903	1921	1938	1956	1973	1990	2008	2025	3	6	9	12	15
69	1·2043	2060	2078	2095	2113	2130	2147	2165	2182	2200	3	6	9	12	15
70	1·2217	2235	2252	2270	2287	2305	2322	2339	2357	2374	3	6	9	12	15
71	1·2392	2409	2427	2444	2462	2479	2497	2514	2531	2549	3	6	9	12	15
72	1·2566	2584	2601	2619	2636	2654	2671	2689	2706	2723	3	6	9	12	15
73	1·2741	2758	2776	2793	2811	2828	2846	2863	2881	2898	3	6	9	12	15
74	1·2915	2933	2950	2968	2985	3003	3020	3038	3055	3073	3	6	9	12	15
75	1·3090	3107	3125	3142	3160	3177	3195	3212	3230	3247	3	6	9	12	15
76	1·3265	3282	3299	3317	3334	3352	3369	3387	3404	3422	3	6	9	12	15
77	1·3439	3456	3474	3491	3509	3526	3544	3561	3579	3596	3	6	9	12	15
78	1·3614	3631	3648	3666	3683	3701	3718	3736	3753	3771	3	6	9	12	15
79	1·3788	3806	3823	3840	3858	3875	3893	3910	3928	3945	3	6	9	12	15
80	1·3963	3980	3998	4015	4032	4050	4067	4085	4102	4120	3	6	9	12	15
81	1·4137	4155	4172	4190	4207	4224	4242	4259	4277	4294	3	6	9	12	15
82	1·4312	4329	4347	4364	4382	4399	4416	4434	4451	4469	3	6	9	12	15
83	1·4486	4504	4521	4539	4556	4573	4591	4608	4626	4643	3	6	9	12	15
84	1·4661	4678	4696	4713	4731	4748	4765	4783	4800	4818	3	6	9	12	15
85	1·4835	4853	4870	4888	4905	4923	4940	4957	4975	4992	3	6	9	12	15
86	1·5010	5027	5045	5062	5080	5097	5115	5132	5149	5167	3	6	9	12	15
87	1·5184	5202	5219	5237	5254	5272	5289	5307	5324	5341	3	6	9	12	15
88	1·5359	5376	5394	5411	5429	5446	5464	5481	5499	5516	3	6	9	12	15
89	1·5533	5551	5568	5586	5603	5621	5638	5656	5673	5691	3	6	9	12	15

RADIANS TO CIRCULAR FUNCTIONS

Radians	Degrees		Sine	Cosine	Tangent	Radians	Degrees		Sine	Cosine	Tangent
·01	0°·573	0° 34′	·0100	1·000	·0100	·80	45·84	45° 50′	·7174	·6967	1·030
·02	1°·146	1° 9′	·0200	·9998	·0200	·82	46·98	46° 59′	·7312	·6822	1·072
·03	1·719	1° 43′	·0300	·9996	·0300	·84	48·13	48° 8′	·7446	·6675	1·116
·04	2·292	2° 18′	·0400	·9992	·0400	·86	49·27	49° 16′	·7578	·6524	1·162
·05	2·865	2° 52′	·0500	·9987	·0500	·88	50·42	50° 25′	·7707	·6372	1·210
·06	3·438	3° 26′	·0600	·9982	·0601	·90	51·57	51° 34′	·7833	·6216	1·260
·07	4·011	4° 1′	·0699	·9975	·0701	·92	52·71	52° 43′	·7956	·6058	1·313
·08	4·584	4° 35′	·0799	·9968	·0802	·94	53·86	53° 51′	·8076	·5898	1·369
·09	5·157	5° 9′	·0899	·9959	·0902	·96	55·00	55° 0′	·8192	·5735	1·428
·10	5·730	5° 44′	·0998	·9950	·1003	·98	56·15	56° 9′	·8305	·5570	1·491
·12	6·876	6° 53′	·1197	·9928	·1206	1·00	57·30	57° 18′	·8415	·5403	1·557
·14	8·022	8° 1′	·1395	·9902	·1409	1·02	58·44	58° 27′	·8521	·5234	1·628
·16	9·167	9° 10′	·1593	·9872	·1614	1·04	59·59	59° 35′	·8624	·5062	1·704
·18	10·31	10° 19′	·1790	·9838	·1820	1·06	60·74	60° 44′	·8724	·4889	1·784
·20	11·46	11° 28′	·1987	·9801	·2027	1·08	61·88	61° 53′	·8820	·4713	1·871
·22	12·61	12° 36′	·2182	·9759	·2236	1·10	63·03	63° 2′	·8912	·4536	1·965
·24	13·75	13° 45′	·2377	·9713	·2447	1·12	64·18	64° 10′	·9001	·4357	2·066
·26	14·90	14° 54′	·2571	·9664	·2660	1·14	65·32	65° 19′	·9086	·4176	2·176
·28	16·04	16° 3′	·2764	·9611	·2876	1·16	66·47	66° 28′	·9168	·3993	2·296
·30	17·19	17° 11′	·2955	·9553	·3093	1·18	67·61	67° 37′	·9246	·3809	2·427
·32	18·33	18° 20′	·3146	·9492	·3314	1·20	68·76	68° 45′	·9320	·3624	2·572
·34	19·48	19° 29′	·3335	·9427	·3537	1·22	69·91	69° 54′	·9391	·3437	2·733
·36	20·63	20° 38′	·3523	·9359	·3764	1·24	71·05	71° 3′	·9458	·3248	2·912
·38	21·77	21° 46′	·3709	·9287	·3994	1·26	72·20	72° 12′	·9521	·3058	3·113
·40	22·92	22° 55′	·3894	·9211	·4228	1·28	73·35	73° 20′	·9580	·2867	3·343
·42	24·06	24° 4′	·4078	·9131	·4466	1·30	74·49	74° 29′	·9636	·2675	3·602
·44	25·21	25° 13′	·4259	·9047	·4708	1·32	75·64	75° 38′	·9687	·2482	3·903
·46	26·36	26° 21′	·4439	·8961	·4954	1·34	76·78	76° 47′	·9735	·2287	4·256
·48	27·50	27° 30′	·4618	·8870	·5206	1·36	77·93	77° 55′	·9779	·2092	4·673
·50	28·65	28° 39′	·4794	·8776	·5463	1·38	79·08	79° 4′	·9818	·1896	5·177
·52	29·79	29° 48′	·4969	·8678	·5726	1·40	80·22	80° 13′	·9855	·1700	5·798
·54	30·94	30° 56′	·5141	·8577	·5994	1·42	81·37	81° 22′	·9887	·1502	6·581
·56	32·09	32° 5′	·5312	·8473	·6269	1·44	82·52	82° 30′	·9915	·1304	7·602
·58	33·23	33° 14′	·5480	·8365	·6552	1·46	83·66	83° 39′	·9939	·1106	8·989
·60	34·38	34° 23′	·5646	·8253	·6841	1·48	84·81	84° 48′	·9959	·0907	10·983
·62	35·52	35° 31′	·5810	·8139	·7139	1·50	85·95	85° 57′	·9975	·0707	14·110
·64	36·67	36° 40′	·5972	·8021	·7445	1·52	87·10	87° 5′	·9987	·0508	19·670
·66	37·82	37° 49′	·6131	·7900	·7761	1·54	88·25	88° 14′	·9995	·0308	32·461
·68	38·96	38° 58′	·6288	·7776	·8087	1·56	89·39	89° 23′	·9999	·0108	92·621
·70	40·11	40° 6′	·6442	·7648	·8423	$\pi/2$	90°				
·72	41·25	41° 15′	·6594	·7518	·8771						
·74	42·40	42° 24′	·6743	·7385	·9131						
·76	43·54	43° 33′	·6889	·7249	·9505						
·78	44·69	44° 41′	·7033	·7109	·9893						

FUNCTIONS OF ANGLES AT 1° INTERVALS

Angle	Radians	Chords	Sine	Tangent	Cotangent	Cosine			
0°	0	0	0	0	∞	1	1·414	1·5708	**90°**
1	·0175	·017	·0175	·0175	57·2900	·9998	1·402	1·5533	**89**
2	·0349	·035	·0349	·0349	28·6363	·9994	1·389	1·5359	**88**
3	·0524	·052	·0523	·0524	19·0811	·9986	1·377	1·5184	**87**
4	·0698	·070	·0698	·0699	14·3007	·9976	1·364	1·5010	**86**
5	·0873	·087	·0872	·0875	11·4301	·9962	1·351	1·4835	**85**
6	·1047	·105	·1045	·1051	9·5144	·9945	1·338	1·4661	**84**
7	·1222	·122	·1219	·1228	8·1443	·9925	1·325	1·4486	**83**
8	·1396	·139	·1392	·1405	7·1154	·9903	1·312	1·4312	**82**
9	·1571	·157	·1564	·1584	6·3138	·9877	1·299	1·4137	**81**
10	·1745	·174	·1736	·1763	5·6713	·9848	1·286	1·3963	**80**
11	·1920	·192	·1908	·1944	5·1446	·9816	1·272	1·3788	**79**
12	·2094	·209	·2079	·2126	4·7046	·9781	1·259	1·3614	**78**
13	·2269	·226	·2250	·2309	4·3315	·9744	1·245	1·3439	**77**
14	·2443	·244	·2419	·2493	4·0108	·9703	1·231	1·3265	**76**
15	·2618	·261	·2588	·2679	3·7321	·9659	1·217	1·3090	**75**
16	·2793	·278	·2756	·2867	3·4874	·9613	1·204	1·2915	**74**
17	·2967	·296	·2924	·3057	3·2709	·9563	1·190	1·2741	**73**
18	·3142	·313	·3090	·3249	3·0777	·9511	1·176	1·2566	**72**
19	·3316	·330	·3256	·3443	2·9042	·9455	1·161	1·2392	**71**
20	·3491	·347	·3420	·3640	2·7475	·9397	1·147	1·2217	**70**
21	·3665	·364	·3584	·3839	2·6051	·9336	1·133	1·2043	**69**
22	·3840	·382	·3746	·4040	2·4751	·9272	1·118	1·1868	**68**
23	·4014	·399	·3907	·4245	2·3559	·9205	1·104	1·1694	**67**
24	·4189	·416	·4067	·4452	2·2460	·9135	1·089	1·1519	**66**
25	·4363	·433	·4226	·4663	2·1445	·9063	1·075	1·1345	**65**
26	·4538	·450	·4384	·4877	2·0503	·8988	1·060	1·1170	**64**
27	·4712	·467	·4540	·5095	1·9626	·8910	1·045	1·0996	**63**
28	·4887	·484	·4695	·5317	1·8807	·8829	1·030	1·0821	**62**
29	·5061	·501	·4848	·5543	1·8040	·8746	1·015	1·0647	**61**
30	·5236	·518	·5000	·5774	1·7321	·8660	1·000	1·0472	**60**
31	·5411	·534	·5150	·6009	1·6643	·8572	·985	1·0297	**59**
32	·5585	·551	·5299	·6249	1·6003	·8480	·970	1·0123	**58**
33	·5760	·568	·5446	·6494	1·5399	·8387	·954	·9948	**57**
34	·5934	·585	·5592	·6745	1·4826	·8290	·939	·9774	**56**
35	·6109	·601	·5736	·7002	1·4281	·8192	·923	·9599	**55**
36	·6283	·618	·5878	·7265	1·3764	·8090	·908	·9425	**54**
37	·6458	·635	·6018	·7536	1·3270	·7986	·892	·9250	**53**
38	·6632	·651	·6157	·7813	1·2799	·7880	·877	·9076	**52**
39	·6807	·668	·6293	·8098	1·2349	·7771	·861	·8901	**51**
40	·6981	·684	·6428	·8391	1·1918	·7660	·845	·8727	**50**
41	·7156	·700	·6561	·8693	1·1504	·7547	·829	·8552	**49**
42	·7330	·717	·6691	·9004	1·1106	·7431	·813	·8378	**48**
43	·7505	·733	·6820	·9325	1·0724	·7314	·797	·8203	**47**
44	·7679	·749	·6947	·9657	1·0355	·7193	·781	·8029	**46**
45	·7854	·765	·7071	1·0000	1·0000	·7071	·765	·7854	**45**
			Cosine	Cotangent	Tangent	Sine	Chords	Radians	Angle

HYPERBOLIC OR NAPERIAN LOGARITHMS

	0	1	2	3	4	5	6	7	8	9	Mean Differences								
											1	2	3	4	5	6	7	8	9
1·0	0·0000	0099	0198	0296	0392	0488	0583	0677	0770	0862	10	19	29	38	48	57	67	76	86
1·1	·0953	1044	1133	1222	1310	1398	1484	1570	1655	1740	9	17	26	35	44	52	61	70	78
1·2	·1823	1906	1989	2070	2151	2231	2311	2390	2469	2546	8	16	24	32	40	48	56	64	72
1·3	·2624	2700	2776	2852	2927	3001	3075	3148	3221	3293	7	15	22	30	37	44	52	59	67
1·4	·3365	3436	3507	3577	3646	3716	3784	3853	3920	3988	7	14	21	28	35	41	48	55	62
1·5	·4055	4121	4187	4253	4318	4383	4447	4511	4574	4637	6	13	19	26	32	39	45	52	58
1·6	·4700	4762	4824	4886	4947	5008	5068	5128	5188	5247	6	12	18	24	30	36	42	48	55
1·7	·5306	5365	5423	5481	5539	5596	5653	5710	5766	5822	6	11	17	24	29	34	40	46	51
1·8	·5878	5933	5988	6043	6098	6152	6206	6259	6313	6366	5	11	16	22	27	32	38	43	49
1·9	·6419	6471	6523	6575	6627	6678	6729	6780	6831	6881	5	10	15	20	26	31	36	41	46
2·0	·6931	6981	7031	7080	7129	7178	7227	7275	7324	7372	5	10	15	20	24	29	34	39	44
2·1	·7419	7467	7514	7561	7608	7655	7701	7747	7793	7839	5	9	14	19	23	28	33	37	42
2·2	·7885	7930	7975	8020	8065	8109	8154	8198	8242	8286	4	9	13	18	22	27	31	36	40
2·3	·8329	8372	8416	8459	8502	8544	8587	8629	8671	8713	4	9	13	17	21	26	30	34	38
2·4	·8755	8796	8838	8879	8920	8961	9002	9042	9083	9123	4	8	12	16	20	24	29	33	37
2·5	·9163	9203	9243	9282	9322	9361	9400	9439	9478	9517	4	8	12	16	20	24	27	31	35
2·6	·9555	9594	9632	9670	9708	9746	9783	9821	9858	9895	4	8	11	15	19	23	26	30	34
2·7	·9933	9969	1·0006	0043	0080	0116	0152	0188	0225	0260	4	7	11	15	18	22	25	29	33
2·8	1·0296	0332	0367	0403	0438	0473	0508	0543	0578	0613	4	7	11	14	18	21	25	28	32
2·9	1·0647	0682	0716	0750	0784	0818	0852	0886	0919	0953	3	7	10	14	17	20	24	27	31
3·0	1·0986	1019	1053	1086	1119	1151	1184	1217	1249	1282	3	7	10	13	16	20	23	26	30
3·1	1·1314	1346	1378	1410	1442	1474	1506	1537	1569	1600	3	6	10	13	16	19	22	25	29
3·2	1·1632	1663	1694	1725	1756	1787	1817	1848	1878	1909	3	6	9	12	15	18	22	25	28
3·3	1·1939	1969	1·2000	2030	2060	2090	2119	2149	2179	2208	3	6	9	12	15	18	21	24	27
3·4	1·2238	2267	2296	2326	2355	2384	2413	2442	2470	2499	3	6	9	12	15	17	20	23	26
3·5	1·2528	2556	2585	2613	2641	2669	2698	2726	2754	2782	3	6	8	11	14	17	20	23	25
3·6	1·2809	2837	2865	2892	2920	2947	2975	3002	3029	3056	3	5	8	11	14	16	19	22	25
3·7	1·3083	3110	3137	3164	3191	3218	3244	3271	3297	3324	3	5	8	11	13	16	19	21	24
3·8	1·3350	3376	3403	3429	3455	3481	3507	3533	3558	3584	3	5	8	10	13	16	18	21	23
3·9	1·3610	3635	3661	3686	3712	3737	3762	3788	3813	3838	3	5	8	10	13	15	18	20	23
4·0	1·3863	3888	3913	3938	3962	3987	4012	4036	4061	4085	2	5	7	10	12	15	17	20	22
4·1	1·4110	4134	4159	4183	4207	4231	4255	4279	4303	4327	2	5	7	10	12	14	17	19	22
4·2	1·4351	4375	4398	4422	4446	4469	4493	4516	4540	4563	2	5	7	9	12	14	16	19	21
4·3	1·4586	4609	4633	4656	4679	4702	4725	4748	4770	4793	2	5	7	9	12	14	16	18	21
4·4	1·4816	4839	4861	4884	4907	4929	4951	4974	4996	5019	2	5	7	9	11	14	16	18	20
4·5	1·5041	5063	5085	5107	5129	5151	5173	5195	5217	5239	2	4	7	9	11	13	15	18	20
4·6	1·5261	5282	5304	5326	5347	5369	5390	5412	5433	5454	2	4	6	9	11	13	15	17	19
4·7	1·5476	5497	5518	5539	5560	5581	5602	5623	5644	5665	2	4	6	8	11	13	15	17	19
4·8	1·5686	5707	5728	5748	5769	5790	5810	5831	5851	5872	2	4	6	8	10	12	14	16	19
4·9	1·5892	5913	5933	5953	5974	5994	6014	6034	6054	6074	2	4	6	8	10	12	14	16	18
5·0	1·6094	6114	6134	6154	6174	6194	6214	6233	6253	6273	2	4	6	8	10	12	14	16	18
5·1	1·6292	6312	6332	6351	6371	6390	6409	6429	6448	6467	2	4	6	8	10	12	14	16	18
5·2	1·6487	6506	6525	6544	6563	6582	6601	6620	6639	6658	2	4	6	8	10	11	13	15	17
5·3	1·6677	6696	6715	6734	6752	6771	6790	6808	6827	6845	2	4	6	7	9	11	13	15	17
5·4	1·6864	6882	6901	6919	6938	6956	6974	6993	7011	7029	2	4	5	7	9	11	13	15	17

Hyperbolic or Naperian Logarithms of 10^{+n}.

n	1	2	3	4	5	6	7	8	9
$\log_e 10^n$	2·3026	4·6052	6·9078	9·2103	11·5129	13·8155	16·1181	18·4207	20·7233

HYPERBOLIC OR NAPERIAN LOGARITHMS

	0	1	2	3	4	5	6	7	8	9	Mean Differences 1	2	3	4	5	6	7	8	9
5·5	1·7047	7066	7084	7102	7120	7138	7156	7174	7192	7210	2	4	5	7	9	11	13	14	16
5·6	1·7228	7246	7263	7281	7299	7317	7334	7352	7370	7387	2	4	5	7	9	11	12	14	16
5·7	1·7405	7422	7440	7457	7475	7492	7509	7527	7544	7561	2	3	5	7	9	10	12	14	16
5·8	1·7579	7596	7613	7630	7647	7664	7681	7699	7716	7733	2	3	5	7	9	10	12	14	15
5·9	1·7750	7766	7783	7800	7817	7834	7851	7867	7884	7901	2	3	5	7	8	10	12	13	15
6·0	1·7918	7934	7951	7967	7984	8001	8017	8034	8050	8066	2	3	5	7	8	10	12	13	15
6·1	1·8083	8099	8116	8132	8148	8165	8181	8197	8213	8229	2	3	5	6	8	10	11	13	15
6·2	1·8245	8262	8278	8294	8310	8326	8342	8358	8374	8390	2	3	5	6	8	10	11	13	14
6·3	1·8405	8421	8437	8453	8469	8485	8500	8516	8532	8547	2	3	5	6	8	9	11	13	14
6·4	1·8563	8579	8594	8610	8625	8641	8656	8672	8687	8703	2	3	5	6	8	9	11	12	14
6·5	1·8718	8733	8749	8764	8779	8795	8810	8825	8840	8856	2	3	5	6	8	9	11	12	14
6·6	1·8871	8886	8901	8916	8931	8946	8961	8976	8991	9006	2	3	5	6	8	9	11	12	14
6·7	1·9021	9036	9051	9066	9081	9095	9110	9125	9140	9155	1	3	4	6	7	9	10	12	13
6·8	1·9169	9184	9199	9213	9228	9242	9257	9272	9286	9301	1	3	4	6	7	9	10	12	13
6·9	1·9315	9330	9344	9359	9373	9387	9402	9416	9430	9445	1	3	4	6	7	9	10	12	13
7·0	1·9459	9473	9488	9502	9516	9530	9544	9559	9573	9587	1	3	4	6	7	9	10	11	13
7·1	1·9601	9615	9629	9643	9657	9671	9685	9699	9713	9727	1	3	4	6	7	8	10	11	13
7·2	1·9741	9755	9769	9782	9796	9810	9824	9838	9851	9865	1	3	4	6	7	8	10	11	12
7·3	1·9879	9892	9906	9920	9933	9947	9961	9974	9988	2·0001	1	3	4	5	7	8	10	11	12
7·4	2·0015	0028	0042	0055	0069	0082	0096	0109	0122	0136	1	3	4	5	7	8	9	11	12
7·5	2·0149	0162	0176	0189	0202	0215	0229	0242	0255	0268	1	3	4	5	7	8	9	11	12
7·6	2·0281	0295	0308	0321	0334	0347	0360	0373	0386	0399	1	3	4	5	7	8	9	10	12
7·7	2·0412	0425	0438	0451	0464	0477	0490	0503	0516	0528	1	3	4	5	6	8	9	10	12
7·8	2·0541	0554	0567	0580	0592	0605	0618	0631	0643	0656	1	3	4	5	6	8	9	10	11
7·9	2·0669	0681	0694	0707	0719	0732	0744	0757	0769	0782	1	3	4	5	6	8	9	10	11
8·0	2·0794	0807	0819	0832	0844	0857	0869	0882	0894	0906	1	3	4	5	6	7	9	10	11
8·1	2·0919	0931	0943	0956	0968	0980	0992	1005	1017	1029	1	2	4	5	6	7	9	10	11
8·2	2·1041	1054	1066	1078	1090	1102	1114	1126	1138	1150	1	2	4	5	6	7	9	10	11
8·3	2·1163	1175	1187	1199	1211	1223	1235	1247	1258	1270	1	2	4	5	6	7	8	10	11
8·4	2·1282	1294	1306	1318	1330	1342	1353	1365	1377	1389	1	2	4	5	6	7	8	9	11
8·5	2·1401	1412	1424	1436	1448	1459	1471	1483	1494	1506	1	2	4	5	6	7	8	9	11
8·6	2·1518	1529	1541	1552	1564	1576	1587	1599	1610	1622	1	2	3	5	6	7	8	9	10
8·7	2·1633	1645	1656	1668	1679	1691	1702	1713	1725	1736	1	2	3	5	6	7	8	9	10
8·8	2·1748	1759	1770	1782	1793	1804	1815	1827	1838	1849	1	2	3	5	6	7	8	9	10
8·9	2·1861	1872	1883	1894	1905	1917	1928	1939	1950	1961	1	2	3	4	6	7	8	9	10
9·0	2·1972	1983	1994	2006	2017	2028	2039	2050	2061	2072	1	2	3	4	6	7	8	9	10
9·1	2·2083	2094	2105	2116	2127	2138	2148	2159	2170	2181	1	2	3	4	5	7	8	9	10
9·2	2·2192	2203	2214	2225	2235	2246	2257	2268	2279	2289	1	2	3	4	5	6	8	9	10
9·3	2·2300	2311	2322	2332	2343	2354	2364	2375	2386	2396	1	2	3	4	5	6	7	9	10
9·4	2·2407	2418	2428	2439	2450	2460	2471	2481	2492	2502	1	2	3	4	5	6	7	8	10
9·5	2·2513	2523	2534	2544	2555	2565	2576	2586	2597	2607	1	2	3	4	5	6	7	8	9
9·6	2·2618	2628	2638	2649	2659	2670	2680	2690	2701	2711	1	2	3	4	5	6	7	8	9
9·7	2·2721	2732	2742	2752	2762	2773	2783	2793	2803	2814	1	2	3	4	5	6	7	8	9
9·8	2·2824	2834	2844	2854	2865	2875	2885	2895	2905	2915	1	2	3	4	5	6	7	8	9
9·9	2·2925	2935	2946	2956	2966	2976	2986	2996	3006	3016	1	2	3	4	5	6	7	8	9
10·0	2·3026																		

Hyperbolic or Naperian Logarithms of 10^{-n}.

n	1	2	3	4	5	6	7	8	9
$\log_e 10^{-n}$	$\bar{3}$·6974	$\bar{5}$·3948	$\bar{7}$·0922	$\overline{10}$·7897	$\overline{12}$·4871	$\overline{14}$·1845	$\overline{17}$·8819	$\overline{19}$·5793	$\overline{21}$·2767

POWERS, ROOTS AND RECIPROCALS

n	n^2	n^3	$\sqrt{n}$	$\sqrt[3]{n}$	$\sqrt{10n}$	$\sqrt[3]{10n}$	$\sqrt[3]{100n}$	$\frac{1}{n}$
1	1	1	1	1	3·162	2·154	4·642	1
2	4	8	1·414	1·260	4·472	2·714	5·848	·5000
3	9	27	1·732	1·442	5·477	3·107	6·694	·3333
4	16	64	2	1·587	6·325	3·420	7·368	·2500
5	25	125	2·236	1·710	7·071	3·684	7·937	·2000
6	36	216	2·449	1·817	7·746	3·915	8·434	·1667
7	49	343	2·646	1·913	8·367	4·121	8·879	·1429
8	64	512	2·828	2·000	8·944	4·309	9·283	·1250
9	81	729	3·000	2·080	9·487	4·481	9·655	·1111
10	100	1000	3·162	2·154	10·0	4·642	10·000	·1000
11	121	1331	3·317	2·224	10·488	4·791	10·323	·09091
12	144	1728	3·464	2·289	10·954	4·932	10·627	·08333
13	169	2197	3·606	2·351	11·402	5·066	10·914	·07692
14	196	2744	3·742	2·410	11·832	5·192	11·187	·07143
15	225	3375	3·873	2·466	12·247	5·313	11·447	·06667
16	256	4096	4·000	2·520	12·649	5·429	11·696	·06250
17	289	4913	4·123	2·571	13·038	5·540	11·935	·05882
18	324	5832	4·243	2·621	13·416	5·646	12·164	·05556
19	361	6859	4·359	2·668	13·784	5·749	12·386	·05263
20	400	8000	4·472	2·714	14·142	5·848	12·599	·0500
21	441	9261	4·583	2·759	14·491	5·944	12·806	·04762
22	484	10648	4·690	2·802	14·832	6·037	13·006	·04545
23	529	12167	4·796	2·844	15·166	6·127	13·200	·04348
24	576	13824	4·899	2·884	15·492	6·214	13·389	·04167
25	625	15625	5·000	2·924	15·811	6·300	13·572	·0400
26	676	17576	5·099	2·962	16·125	6·383	13·751	·03846
27	729	19683	5·196	3·000	16·432	6·463	13·925	·03704
28	784	21952	5·292	3·037	16·733	6·542	14·095	·03571
29	841	24389	5·385	3·072	17·029	6·619	14·260	·03448
30	900	27000	5·477	3·107	17·321	6·694	14·422	·03333
31	961	29791	5·568	3·141	17·607	6·768	14·581	·03226
32	1024	32768	5·657	3·175	17·889	6·840	14·736	·03125
33	1089	35937	5·745	3·208	18·166	6·910	14·888	·03030
34	1156	39304	5·831	3·240	18·439	6·980	15·037	·02941
35	1225	42875	5·916	3·271	18·708	7·047	15·183	·02857
36	1296	46656	6·000	3·302	18·974	7·114	15·326	·02778
37	1369	50653	6·083	3·332	19·235	7·179	15·467	·02703
38	1444	54872	6·164	3·362	19·494	7·243	15·605	·02632
39	1521	59319	6·245	3·391	19·748	7·306	15·741	·02564
40	1600	64000	6·325	3·420	20·00	7·368	15·874	·0250
41	1681	68921	6·403	3·448	20·248	7·429	16·005	·02439
42	1764	74088	6·481	3·476	20·494	7·489	16·134	·02381
43	1849	79507	6·557	3·503	20·736	7·548	16·261	·02326
44	1936	85184	6·633	3·530	20·976	7·606	16·386	·02273
45	2025	91125	6·708	3·557	21·213	7·663	16·510	·02222
46	2116	97336	6·782	3·583	21·448	7·719	16·631	·02174
47	2209	103823	6·856	3·609	21·679	7·775	16·751	·02128
48	2304	110592	6·928	3·634	21·909	7·830	16·869	·02083
49	2401	117649	7·000	3·659	22·136	7·884	16·985	·02041
50	2500	125000	7·071	3·684	22·361	7·937	17·100	·020

POWERS, ROOTS AND RECIPROCALS

n	n^2	n^3	$\sqrt{n}$	$\sqrt[3]{n}$	$\sqrt{10n}$	$\sqrt[3]{10n}$	$\sqrt[3]{100n}$	$\frac{1}{n}$
51	2601	132651	7·141	3·708	22·583	7·990	17·213	·01961
52	2704	140608	7·211	3·733	22·804	8·041	17·325	·01923
53	2809	148877	7·280	3·756	23·022	8·093	17·435	·01887
54	2916	157464	7·348	3·780	23·238	8·143	17·544	·01852
55	3025	166375	7·416	3·803	23·452	8·193	17·652	·01818
56	3136	175616	7·483	3·826	23·664	8·243	17·758	·01786
57	3249	185193	7·550	3·849	23·875	8·291	17·863	·01754
58	3364	195112	7·616	3·871	24·083	8·340	17·967	·01724
59	3481	205379	7·681	3·893	24·290	8·387	18·070	·01695
60	3600	216000	7·746	3·915	24·495	8·434	18·171	·01667
61	3721	226981	7·810	3·936	24·698	8·481	18·272	·01639
62	3844	238328	7·874	3·958	24·900	8·527	18·371	·01613
63	3969	250047	7·937	3·979	25·100	8·573	18·469	·01587
64	4096	262144	8·000	4·000	25·298	8·618	18·566	·01562
65	4225	274625	8·062	4·021	25·495	8·662	18·663	·01538
66	4356	287496	8·124	4·041	25·690	8·707	18·758	·01515
67	4489	300763	8·185	4·062	25·884	8·750	18·852	·01493
68	4624	314432	8·246	4·082	26·077	8·794	18·945	·01471
69	4761	328509	8·307	4·102	26·268	8·837	19·038	·01449
70	4900	343000	8·367	4·121	26·458	8·879	19·129	·01429
71	5041	357911	8·426	4·141	26·646	8·921	19·220	·01408
72	5184	373248	8·485	4·160	26·833	8·963	19·310	·01389
73	5329	389017	8·544	4·179	27·019	9·004	19·399	·01370
74	5476	405224	8·602	4·198	27·203	9·045	19·487	·01351
75	5625	421875	8·660	4·217	27·386	9·086	19·574	·01333
76	5776	438976	8·718	4·236	27·568	9·126	19·661	·01316
77	5929	456533	8·775	4·254	27·749	9·166	19·747	·01299
78	6084	474552	8·832	4·273	27·928	9·205	19·832	·01282
79	6241	493039	8·888	4·291	28·107	9·244	19·916	·01266
80	6400	512000	8·944	4·309	28·284	9·283	20·000	·01250
81	6561	531441	9·000	4·327	28·460	9·322	20·083	·01235
82	6724	551368	9·055	4·344	28·636	9·360	20·165	·01220
83	6889	571787	9·110	4·362	28·810	9·398	20·247	·01205
84	7056	592704	9·165	4·380	28·983	9·435	20·328	·01190
85	7225	614125	9·220	4·397	29·155	9·473	20·408	·01176
86	7396	636056	9·274	4·414	29·326	9·510	20·488	·01163
87	7569	658503	9·327	4·431	29·496	9·546	20·567	·01149
88	7744	681472	9·381	4·448	29·665	9·583	20·646	·01136
89	7921	704969	9·434	4·465	29·833	9·619	20·724	·01124
90	8100	729000	9·487	4·481	30·000	9·655	20·801	·01111
91	8281	753571	9·539	4·498	30·166	9·691	20·878	·01099
92	8464	778688	9·592	4·514	30·332	9·726	20·954	·01087
93	8649	804357	9·644	4·531	30·496	9·761	21·029	·01075
94	8836	830584	9·695	4·547	30·659	9·796	21·105	·01064
95	9025	857375	9·747	4·563	30·822	9·830	21·179	·01053
96	9216	884736	9·798	4·579	30·984	9·865	21·253	·01042
97	9409	912673	9·849	4·595	31·145	9·899	21·327	·01031
98	9604	941192	9·899	4·610	31·305	9·933	21·400	·01020
99	9801	970299	9·950	4·626	31·464	9·967	21·472	·01010
100	10000	1000000	10·000	4·642	31·623	10·000	21·544	·0100

SQUARES

	0	1	2	3	4	5	6	7	8	9	Mean Differences								
											1	2	3	4	5	6	7	8	9
1·0	1·000	1·020	1·040	1·061	1·082	1·103	1·124	1·145	1·166	1·188	2	4	6	8	10	13	15	17	19
1·1	1·210	1·232	1·254	1·277	1·300	1·323	1·346	1·369	1·392	1·416	2	5	7	9	11	14	16	18	21
1·2	1·440	1·464	1·488	1·513	1·538	1·563	1·588	1·613	1·638	1·664	2	5	7	10	12	15	17	20	22
1·3	1·690	1·716	1·742	1·769	1·796	1·823	1·850	1·877	1·904	1·932	3	5	8	11	13	16	19	22	24
1·4	1·960	1·988	2·016	2·045	2·074	2·103	2·132	2·161	2·190	2·220	3	6	9	12	14	17	20	23	26
1·5	2·250	2·280	2·310	2·341	2·372	2·403	2·434	2·465	2·496	2·528	3	6	9	12	15	19	22	25	28
1·6	2·560	2·592	2·624	2·657	2·690	2·723	2·756	2·789	2·822	2·856	3	7	10	13	16	20	23	26	30
1·7	2·890	2·924	2·958	2·993	3·028	3·063	3·098	3·133	3·168	3·204	3	7	10	14	17	21	24	28	31
1·8	3·240	3·276	3·312	3·349	3·386	3·423	3·460	3·497	3·534	3·572	4	7	11	15	18	22	26	30	33
1·9	3·610	3·648	3·686	3·725	3·764	3·803	3·842	3·881	3·920	3·960	4	8	12	16	19	23	27	31	35
2·0	4·000	4·040	4·080	4·121	4·162	4·203	4·244	4·285	4·326	4·368	4	8	12	16	20	25	29	33	37
2·1	4·410	4·452	4·494	4·537	4·580	4·623	4·666	4·709	4·752	4·796	4	9	13	17	21	26	30	34	39
2·2	4·840	4·884	4·928	4·973	5·018	5·063	5·108	5·153	5·198	5·244	4	9	13	18	22	27	31	36	40
2·3	5·290	5·336	5·382	5·429	5·476	5·523	5·570	5·617	5·664	5·712	5	9	14	19	23	28	33	38	42
2·4	5·760	5·808	5·856	5·905	5·954	6·003	6·052	6·101	6·150	6·200	5	10	15	20	24	29	34	39	44
2·5	6·250	6·300	6·350	6·401	6·452	6·503	6·554	6·605	6·656	6·708	5	10	15	20	25	31	36	41	46
2·6	6·760	6·812	6·864	6·917	6·970	7·023	7·076	7·129	7·182	7·236	5	11	16	21	26	32	37	42	48
2·7	7·290	7·344	7·398	7·453	7·508	7·563	7·618	7·673	7·728	7·784	5	11	16	22	27	33	38	44	49
2·8	7·840	7·896	7·952	8·009	8·066	8·123	8·180	8·237	8·294	8·352	6	11	17	23	28	34	40	46	51
2·9	8·410	8·468	8·526	8·585	8·644	8·703	8·762	8·821	8·880	8·940	6	12	18	24	29	35	41	47	53
3·0	9·000	9·060	9·120	9·181	9·242	9·303	9·364	9·425	9·486	9·548	6	12	18	24	30	37	43	49	55
3·1	9·610	9·672	9·734	9·797	9·860	9·923	9·986				6	13	19	25	31	38	44	50	57
3·1								10·05	10·11	10·18	1	1	2	3	3	4	4	5	6
3·2	10·24	10·30	10·37	10·43	10·50	10·56	10·63	10·69	10·76	10·82	1	1	2	3	3	4	5	5	6
3·3	10·89	10·96	11·02	11·09	11·16	11·22	11·29	11·36	11·42	11·49	1	1	2	3	3	4	5	5	6
3·4	11·56	11·63	11·70	11·76	11·83	11·90	11·97	12·04	12·11	12·18	1	1	2	3	3	4	5	6	6
3·5	12·25	12·32	12·39	12·46	12·53	12·60	12·67	12·74	12·82	12·89	1	1	2	3	4	4	5	6	6
3·6	12·96	13·03	13·10	13·18	13·25	13·32	13·40	13·47	13·54	13·62	1	1	2	3	4	4	5	6	7
3·7	13·69	13·76	13·84	13·91	13·99	14·06	14·14	14·21	14·29	14·36	1	2	2	3	4	5	5	6	7
3·8	14·44	14·52	14·59	14·67	14·75	14·82	14·90	14·98	15·05	15·13	1	2	2	3	4	5	5	6	7
3·9	15·21	15·29	15·37	15·44	15·52	15·60	15·68	15·76	15·84	15·92	1	2	2	3	4	5	6	6	7
4·0	16·00	16·08	16·16	16·24	16·32	16·40	16·48	16·56	16·65	16·73	1	2	2	3	4	5	6	6	7
4·1	16·81	16·89	16·97	17·06	17·14	17·22	17·31	17·39	17·47	17·56	1	2	2	3	4	5	6	7	7
4·2	17·64	17·72	17·81	17·89	17·98	18·06	18·15	18·23	18·32	18·40	1	2	3	3	4	5	6	7	8
4·3	18·49	18·58	18·66	18·75	18·84	18·92	19·01	19·10	19·18	19·27	1	2	3	3	4	5	6	7	8
4·4	19·36	19·45	19·54	19·62	19·71	19·80	19·89	19·98	20·07	20·16	1	2	3	4	5	5	6	7	8
4·5	20·25	20·34	20·43	20·52	20·61	20·70	20·79	20·88	20·98	21·07	1	2	3	4	5	5	6	7	8
4·6	21·16	21·25	21·34	21·44	21·53	21·62	21·72	21·81	21·90	22·00	1	2	3	4	5	6	7	7	8
4·7	22·09	22·18	22·28	22·37	22·47	22·56	22·66	22·75	22·85	22·94	1	2	3	4	5	6	7	8	9
4·8	23·04	23·14	23·23	23·33	23·43	23·52	23·62	23·72	23·81	23·91	1	2	3	4	5	6	7	8	9
4·9	24·01	24·11	24·21	24·30	24·40	24·50	24·60	24·70	24·80	24·90	1	2	3	4	5	6	7	8	9
5·0	25·00	25·10	25·20	25·30	25·40	25·50	25·60	25·70	25·81	25·91	1	2	3	4	5	6	7	8	9
5·1	26·01	26·11	26·21	26·32	26·42	26·52	26·63	26·73	26·83	26·94	1	2	3	4	5	6	7	8	9
5·2	27·04	27·14	27·25	27·35	27·46	27·56	27·67	27·77	27·88	27·98	1	2	3	4	5	6	7	8	9
5·3	28·09	28·20	28·30	28·41	28·52	28·62	28·73	28·84	28·94	29·05	1	2	3	4	5	6	7	9	10
5·4	29·16	29·27	29·38	29·48	29·59	29·70	29·81	29·92	30·03	30·14	1	2	3	4	6	7	8	9	10

	0	1	2	3	4	5	6	7	8	9	Mean Differences								
											1	2	3	4	5	6	7	8	9
5·5	30·25	30·36	30·47	30·58	30·69	30·80	30·91	31·02	31·14	31·25	1	2	3	4	6	7	8	9	10
5·6	31·36	31·47	31·58	31·70	31·81	31·92	32·04	32·15	32·26	32·38	1	2	3	5	6	7	8	9	10
5·7	32·49	32·60	32·72	32·83	32·95	33·06	33·18	33·29	33·41	33·52	1	2	3	5	6	7	8	9	10
5·8	33·64	33·76	33·87	33·99	34·11	34·22	34·34	34·46	34·57	34·69	1	2	4	5	6	7	8	9	11
5·9	34·81	34·93	35·05	35·16	35·28	35·40	35·52	35·64	35·76	35·88	1	2	4	5	6	7	8	10	11
6·0	36·00	36·12	36·24	36·36	36·48	36·60	36·72	36·84	36·97	37·09	1	2	4	5	6	7	9	10	11
6·1	37·21	37·33	37·45	37·58	37·70	37·82	37·95	38·07	38·19	38·32	1	2	4	5	6	7	9	10	11
6·2	38·44	38·56	38·69	38·81	38·94	39·06	39·19	39·31	39·44	39·56	1	3	4	5	6	8	9	10	11
6·3	39·69	39·82	39·94	40·07	40·20	40·32	40·45	40·58	40·70	40·83	1	3	4	5	6	8	9	10	11
6·4	40·96	41·09	41·22	41·34	41·47	41·60	41·73	41·86	41·99	42·12	1	3	4	5	6	8	9	10	12
6·5	42·25	42·38	42·51	42·64	42·77	42·90	43·03	43·16	43·30	43·43	1	3	4	5	7	8	9	10	12
6·6	43·56	43·69	43·82	43·96	44·09	44·22	44·36	44·49	44·62	44·76	1	3	4	5	7	8	9	11	12
6·7	44·89	45·02	45·16	45·29	45·43	45·56	45·70	45·83	45·97	46·10	1	3	4	5	7	8	9	11	12
6·8	46·24	46·38	46·51	46·65	46·79	46·92	47·06	47·20	47·33	47·47	1	3	4	5	7	8	10	11	12
6·9	47·61	47·75	47·89	48·02	48·16	48·30	48·44	48·58	48·72	48·86	1	3	4	6	7	8	10	11	13
7·0	49·00	49·14	49·28	49·42	49·56	49·70	49·84	49·98	50·13	50·27	1	3	4	6	7	8	10	11	13
7·1	50·41	50·55	50·69	50·84	50·98	51·12	51·27	51·41	51·55	51·70	1	3	4	6	7	9	10	11	13
7·2	51·84	51·98	52·13	52·27	52·42	52·56	52·71	52·85	53·00	53·14	1	3	4	6	7	9	10	12	13
7·3	53·29	53·44	53·58	53·73	53·88	54·02	54·17	54·32	54·46	54·61	1	3	4	6	7	9	10	12	13
7·4	54·76	54·91	55·06	55·20	55·35	55·50	55·65	55·80	55·95	56·10	1	3	4	6	7	9	10	12	13
7·5	56·25	56·40	56·55	56·70	56·85	57·00	57·15	57·30	57·46	57·61	2	3	5	6	8	9	11	12	14
7·6	57·76	57·91	58·06	58·22	58·37	58·52	58·68	58·83	58·98	59·14	2	3	5	6	8	9	11	12	14
7·7	59·29	59·44	59·60	59·75	59·91	60·06	60·22	60·37	60·53	60·68	2	3	5	6	8	9	11	12	14
7·8	60·84	61·00	61·15	61·31	61·47	61·62	61·78	61·94	62·09	62·25	2	3	5	6	8	9	11	13	14
7·9	62·41	62·57	62·73	62·88	63·04	63·20	63·36	63·52	63·68	63·84	2	3	5	6	8	10	11	13	14
8·0	64·00	64·16	64·32	64·48	64·64	64·80	64·96	65·12	65·29	65·45	2	3	5	6	8	10	11	13	14
8·1	65·61	65·77	65·93	66·10	66·26	66·42	66·59	66·75	66·91	67·08	2	3	5	7	8	10	11	13	15
8·2	67·24	67·40	67·57	67·73	67·90	68·06	68·23	68·39	68·56	68·72	2	3	5	7	8	10	12	13	15
8·3	68·89	69·06	69·22	69·39	69·56	69·72	69·89	70·06	70·22	70·39	2	3	5	7	8	10	12	13	15
8·4	70·56	70·73	70·90	71·06	71·23	71·40	71·57	71·74	71·91	72·08	2	3	5	7	8	10	12	14	15
8·5	72·25	72·42	72·59	72·76	72·93	73·10	73·27	73·44	73·62	73·79	2	3	5	7	9	10	12	14	15
8·6	73·96	74·13	74·30	74·48	74·65	74·82	75·00	75·17	75·34	75·52	2	3	5	7	9	10	12	14	16
8·7	75·69	75·86	76·04	76·21	76·39	76·56	76·74	76·91	77·09	77·26	2	4	5	7	9	11	12	14	16
8·8	77·44	77·62	77·79	77·97	78·15	78·32	78·50	78·68	78·85	79·03	2	4	5	7	9	11	12	14	16
8·9	79·21	79·39	79·57	79·74	79·92	80·10	80·28	80·46	80·64	80·82	2	4	5	7	9	11	13	14	16
9·0	81·00	81·18	81·36	81·54	81·72	81·90	82·08	82·26	82·45	82·63	2	4	5	7	9	11	13	14	16
9·1	82·81	82·99	83·17	83·36	83·54	83·72	83·91	84·09	84·27	84·46	2	4	5	7	9	11	13	15	16
9·2	84·64	84·82	85·01	85·19	85·38	85·56	85·75	85·93	86·12	86·30	2	4	6	7	9	11	13	15	17
9·3	86·49	86·68	86·86	87·05	87·24	87·42	87·61	87·80	87·98	88·17	2	4	6	7	9	11	13	15	17
9·4	88·36	88·55	88·74	88·92	89·11	89·30	89·49	89·68	89·87	90·06	2	4	6	8	9	11	13	15	17
9·5	90·25	90·44	90·63	90·82	91·01	91·20	91·39	91·58	91·78	91·97	2	4	6	8	10	11	13	15	17
9·6	92·16	92·35	92·54	92·74	92·93	93·12	93·32	93·51	93·70	93·90	2	4	6	8	10	12	13	15	17
9·7	94·09	94·28	94·48	94·67	94·87	95·06	95·26	95·45	95·65	95·84	2	4	6	8	10	12	14	15	17
9·8	96·04	96·24	96·43	96·63	96·83	97·02	97·22	97·42	97·61	97·81	2	4	6	8	10	12	14	16	18
9·9	98·01	98·21	98·41	98·60	98·80	99·00	99·20	99·40	99·60	99·80	2	4	6	8	10	12	14	16	18

SQUARE ROOTS FROM 1 TO 10

	0	1	2	3	4	5	6	7	8	9	Mean Differences								
											1	2	3	4	5	6	7	8	9
1·0	1·000	1·005	1·010	1·015	1·020	1·025	1·030	1·034	1·039	1·044	0	1	1	2	2	3	3	4	4
1·1	1·049	1·054	1·058	1·063	1·068	1·072	1·077	1·082	1·086	1·091	0	1	1	2	2	3	3	4	4
1·2	1·095	1·100	1·105	1·109	1·114	1·118	1·122	1·127	1·131	1·136	0	1	1	2	2	3	3	4	4
1·3	1·140	1·145	1·149	1·153	1·158	1·162	1·166	1·170	1·175	1·179	0	1	1	2	2	3	3	3	4
1·4	1·183	1·187	1·192	1·196	1·200	1·204	1·208	1·212	1·217	1·221	0	1	1	2	2	2	3	3	4
1·5	1·225	1·229	1·233	1·237	1·241	1·245	1·249	1·253	1·257	1·261	0	1	1	2	2	2	3	3	4
1·6	1·265	1·269	1·273	1·277	1·281	1·285	1·288	1·292	1·296	1·300	0	1	1	2	2	2	3	3	3
1·7	1·304	1·308	1·311	1·315	1·319	1·323	1·327	1·330	1·334	1·338	0	1	1	2	2	2	3	3	3
1·8	1·342	1·345	1·349	1·353	1·356	1·360	1·364	1·367	1·371	1·375	0	1	1	1	2	2	3	3	3
1·9	1·378	1·382	1·386	1·389	1·393	1·396	1·400	1·404	1·407	1·411	0	1	1	1	2	2	3	3	3
2·0	1·414	1·418	1·421	1·425	1·428	1·432	1·435	1·439	1·442	1·446	0	1	1	1	2	2	2	3	3
2·1	1·449	1·453	1·456	1·459	1·463	1·466	1·470	1·473	1·476	1·480	0	1	1	1	2	2	2	3	3
2·2	1·483	1·487	1·490	1·493	1·497	1·500	1·503	1·507	1·510	1·513	0	1	1	1	2	2	2	3	3
2·3	1·517	1·520	1·523	1·526	1·530	1·533	1·536	1·539	1·543	1·546	0	1	1	1	2	2	2	3	3
2·4	1·549	1·552	1·556	1·559	1·562	1·565	1·568	1·572	1·575	1·578	0	1	1	1	2	2	2	3	3
2·5	1·581	1·584	1·587	1·591	1·594	1·597	1·600	1·603	1·606	1·609	0	1	1	1	2	2	2	3	3
2·6	1·612	1·616	1·619	1·622	1·625	1·628	1·631	1·634	1·637	1·640	0	1	1	1	2	2	2	2	3
2·7	1·643	1·646	1·649	1·652	1·655	1·658	1·661	1·664	1·667	1·670	0	1	1	1	2	2	2	2	3
2·8	1·673	1·676	1·679	1·682	1·685	1·688	1·691	1·694	1·697	1·700	0	1	1	1	1	2	2	2	3
2·9	1·703	1·706	1·709	1·712	1·715	1·718	1·720	1·723	1·726	1·729	0	1	1	1	1	2	2	2	3
3·0	1·732	1·735	1·738	1·741	1·744	1·746	1·749	1·752	1·755	1·758	0	1	1	1	1	2	2	2	3
3·1	1·761	1·764	1·766	1·769	1·772	1·775	1·778	1·780	1·783	1·786	0	1	1	1	1	2	2	2	3
3·2	1·789	1·792	1·794	1·797	1·800	1·803	1·806	1·808	1·811	1·814	0	1	1	1	1	2	2	2	2
3·3	1·817	1·819	1·822	1·825	1·828	1·830	1·833	1·836	1·838	1·841	0	1	1	1	1	2	2	2	2
3·4	1·844	1·847	1·849	1·852	1·855	1·857	1·860	1·863	1·865	1·868	0	1	1	1	1	2	2	2	2
3·5	1·871	1·873	1·876	1·879	1·881	1·884	1·887	1·889	1·892	1·895	0	1	1	1	1	2	2	2	2
3·6	1·897	1·900	1·903	1·905	1·908	1·910	1·913	1·916	1·918	1·921	0	1	1	1	1	2	2	2	2
3·7	1·924	1·926	1·929	1·931	1·934	1·936	1·939	1·942	1·944	1·947	0	1	1	1	1	2	2	2	2
3·8	1·949	1·952	1·954	1·957	1·960	1·962	1·965	1·967	1·970	1·972	0	1	1	1	1	2	2	2	2
3·9	1·975	1·977	1·980	1·982	1·985	1·987	1·990	1·992	1·995	1·997	0	1	1	1	1	2	2	2	2
4·0	2·000	2·002	2·005	2·007	2·010	2·012	2·015	2·017	2·020	2·022	0	0	1	1	1	1	2	2	2
4·1	2·025	2·027	2·030	2·032	2·035	2·037	2·040	2·042	2·045	2·047	0	0	1	1	1	1	2	2	2
4·2	2·049	2·052	2·054	2·057	2·059	2·062	2·064	2·066	2·069	2·071	0	0	1	1	1	1	2	2	2
4·3	2·074	2·076	2·078	2·081	2·083	2·086	2·088	2·090	2·093	2·095	0	0	1	1	1	1	2	2	2
4·4	2·098	2·100	2·102	2·105	2·107	2·110	2·112	2·114	2·117	2·119	0	0	1	1	1	1	2	2	2
4·5	2·121	2·124	2·126	2·128	2·131	2·133	2·135	2·138	2·140	2·142	0	0	1	1	1	1	2	2	2
4·6	2·145	2·147	2·149	2·152	2·154	2·156	2·159	2·161	2·163	2·166	0	0	1	1	1	1	2	2	2
4·7	2·168	2·170	2·173	2·175	2·177	2·179	2·182	2·184	2·186	2·189	0	0	1	1	1	1	2	2	2
4·8	2·191	2·193	2·195	2·198	2·200	2·202	2·205	2·207	2·209	2·211	0	0	1	1	1	1	2	2	2
4·9	2·214	2·216	2·218	2·220	2·223	2·225	2·227	2·229	2·232	2·234	0	0	1	1	1	1	2	2	2
5·0	2·236	2·238	2·241	2·243	2·245	2·247	2·249	2·252	2·254	2·256	0	0	1	1	1	1	2	2	2
5·1	2·258	2·261	2·263	2·265	2·267	2·269	2·272	2·274	2·276	2·278	0	0	1	1	1	1	2	2	2
5·2	2·280	2·283	2·285	2·287	2·289	2·291	2·293	2·296	2·298	2·300	0	0	1	1	1	1	2	2	2
5·3	2·302	2·304	2·307	2·309	2·311	2·313	2·315	2·317	2·319	2·322	0	0	1	1	1	1	2	2	2
5·4	2·324	2·326	2·328	2·330	2·332	2·335	2·337	2·339	2·341	2·343	0	0	1	1	1	1	1	2	2

SQUARE ROOTS. FROM 1 TO 10

	0	1	2	3	4	5	6	7	8	9	Mean Differences								
											1	2	3	4	5	6	7	8	9
5·5	2·345	2·347	2·349	2·352	2·354	2·356	2·358	2·360	2·362	2·364	0	0	1	1	1	1	1	2	2
5·6	2·366	2·369	2·371	2·373	2·375	2·377	2·379	2·381	2·383	2·385	0	0	1	1	1	1	1	2	2
5·7	2·387	2·390	2·392	2·394	2·396	2·398	2·400	2·402	2·404	2·406	0	0	1	1	1	1	1	2	2
5·8	2·408	2·410	2·412	2·415	2·417	2·419	2·421	2·423	2·425	2·427	0	0	1	1	1	1	1	2	2
5·9	2·429	2·431	2·433	2·435	2·437	2·439	2·441	2·443	2·445	2·447	0	0	1	1	1	1	1	2	2
6·0	2·449	2·452	2·454	2·456	2·458	2·460	2·462	2·464	2·466	2·468	0	0	1	1	1	1	1	2	2
6·1	2·470	2·472	2·474	2·476	2·478	2·480	2·482	2·484	2·486	2·488	0	0	1	1	1	1	1	2	2
6·2	2·490	2·492	2·494	2·496	2·498	2·500	2·502	2·504	2·506	2·508	0	0	1	1	1	1	1	2	2
6·3	2·510	2·512	2·514	2·516	2·518	2·520	2·522	2·524	2·526	2·528	0	0	1	1	1	1	1	2	2
6·4	2·530	2·532	2·534	2·536	2·538	2·540	2·542	2·544	2·546	2·548	0	0	1	1	1	1	1	2	2
6·5	2·550	2·551	2·553	2·555	2·557	2·559	2·561	2·563	2·565	2·567	0	0	1	1	1	1	1	2	2
6·6	2·569	2·571	2·573	2·575	2·577	2·579	2·581	2·583	2·585	2·587	0	0	1	1	1	1	1	2	2
6·7	2·588	2·590	2·592	2·594	2·596	2·598	2·600	2·602	2·604	2·606	0	0	1	1	1	1	1	2	2
6·8	2·608	2·610	2·612	2·613	2·615	2·617	2·619	2·621	2·623	2·625	0	0	1	1	1	1	1	2	2
6·9	2·627	2·629	2·631	2·632	2·634	2·636	2·638	2·640	2·642	2·644	0	0	1	1	1	1	1	2	2
7·0	2·646	2·648	2·650	2·651	2·653	2·655	2·657	2·659	2·661	2·663	0	0	1	1	1	1	1	2	2
7·1	2·665	2·666	2·668	2·670	2·672	2·674	2·676	2·678	2·680	2·681	0	0	1	1	1	1	1	1	2
7·2	2·683	2·685	2·687	2·689	2·691	2·693	2·694	2·696	2·698	2·700	0	0	1	1	1	1	1	1	2
7·3	2·702	2·704	2·706	2·707	2·709	2·711	2·713	2·715	2·717	2·718	0	0	1	1	1	1	1	1	2
7·4	2·720	2·722	2·724	2·726	2·728	2·729	2·731	2·733	2·735	2·737	0	0	1	1	1	1	1	1	2
7·5	2·739	2·740	2·742	2·744	2·746	2·748	2·750	2·751	2·753	2·755	0	0	1	1	1	1	1	1	2
7·6	2·757	2·759	2·760	2·762	2·764	2·766	2·768	2·769	2·771	2·773	0	0	1	1	1	1	1	1	2
7·7	2·775	2·777	2·778	2·780	2·782	2·784	2·786	2·787	2·789	2·791	0	0	1	1	1	1	1	1	2
7·8	2·793	2·795	2·796	2·798	2·800	2·802	2·804	2·805	2·807	2·809	0	0	1	1	1	1	1	1	2
7·9	2·811	2·812	2·814	2·816	2·818	2·820	2·821	2·823	2·825	2·827	0	0	1	1	1	1	1	1	2
8·0	2·828	2·830	2·832	2·834	2·835	2·837	2·839	2·841	2·843	2·844	0	0	1	1	1	1	1	1	2
8·1	2·846	2·848	2·850	2·851	2·853	2·855	2·857	2·858	2·860	2·862	0	0	1	1	1	1	1	1	2
8·2	2·864	2·865	2·867	2·869	2·871	2·872	2·874	2·876	2·877	2·879	0	0	1	1	1	1	1	1	2
8·3	2·881	2·883	2·884	2·886	2·888	2·890	2·891	2·893	2·895	2·897	0	0	1	1	1	1	1	1	2
8·4	2·898	2·900	2·902	2·903	2·905	2·907	2·909	2·910	2·912	2·914	0	0	1	1	1	1	1	1	2
8·5	2·915	2·917	2·919	2·921	2·922	2·924	2·926	2·927	2·929	2·931	0	0	1	1	1	1	1	1	2
8·6	2·933	2·934	2·936	2·938	2·939	2·941	2·943	2·944	2·946	2·948	0	0	1	1	1	1	1	1	2
8·7	2·950	2·951	2·953	2·955	2·956	2·958	2·960	2·961	2·963	2·965	0	0	1	1	1	1	1	1	2
8·8	2·966	2·968	2·970	2·972	2·973	2·975	2·977	2·978	2·980	2·982	0	0	1	1	1	1	1	1	2
8·9	2·983	2·985	2·987	2·988	2·990	2·992	2·993	2·995	2·997	2·998	0	0	1	1	1	1	1	1	2
9·0	3·000	3·002	3·003	3·005	3·007	3·008	3·010	3·012	3·013	3·015	0	0	0	1	1	1	1	1	1
9·1	3·017	3·018	3·020	3·022	3·023	3·025	3·027	3·028	3·030	3·032	0	0	0	1	1	1	1	1	1
9·2	3·033	3·035	3·036	3·038	3·040	3·041	3·043	3·045	3·046	3·048	0	0	0	1	1	1	1	1	1
9·3	3·050	3·051	3·053	3·055	3·056	3·058	3·059	3·061	3·063	3·064	0	0	0	1	1	1	1	1	1
9·4	3·066	3·068	3·069	3·071	3·072	3·074	3·076	3·077	3·079	3·081	0	0	0	1	1	1	1	1	1
9·5	3·082	3·084	3·085	3·087	3·089	3·090	3·092	3·094	3·095	3·097	0	0	0	1	1	1	1	1	1
9·6	3·098	3·100	3·102	3·103	3·105	3·106	3·108	3·110	3·111	3·113	0	0	0	1	1	1	1	1	1
9·7	3·114	3·116	3·118	3·119	3·121	3·122	3·124	3·126	3·127	3·129	0	0	0	1	1	1	1	1	1
9·8	3·130	3·132	3·134	3·135	3·137	3·138	3·140	3·142	3·143	3·145	0	0	0	1	1	1	1	1	1
9·9	3·146	3·148	3·150	3·151	3·153	3·154	3·156	3·158	3·159	3·161	0	0	0	1	1	1	1	1	1

SQUARE ROOTS. From 10 to 100

	0	1	2	3	4	5	6	7	8	9	Mean Differences								
											1	2	3	4	5	6	7	8	9
10	3·162	3·178	3·194	3·209	3·225	3·240	3·256	3·271	3·286	3·302	2	3	5	6	8	9	11	12	14
11	3·317	3·332	3·347	3·362	3·376	3·391	3·406	3·421	3·435	3·450	1	3	4	6	7	9	10	12	13
12	3·464	3·479	3·493	3·507	3·521	3·536	3·550	3·564	3·578	3·592	1	3	4	6	7	8	10	11	13
13	3·606	3·619	3·633	3·647	3·661	3·674	3·688	3·701	3·715	3·728	1	3	4	5	7	8	10	11	12
14	3·742	3·755	3·768	3·782	3·795	3·808	3·821	3·834	3·847	3·860	1	3	4	5	7	8	9	11	12
15	3·873	3·886	3·899	3·912	3·924	3·937	3·950	3·962	3·975	3·987	1	3	4	5	6	8	9	10	11
16	4·000	4·012	4·025	4·037	4·050	4·062	4·074	4·087	4·099	4·111	1	2	4	5	6	7	9	10	11
17	4·123	4·135	4·147	4·159	4·171	4·183	4·195	4·207	4·219	4·231	1	2	4	5	6	7	8	10	11
18	4·243	4·254	4·266	4·278	4·290	4·301	4·313	4·324	4·336	4·347	1	2	3	5	6	7	8	9	10
19	4·359	4·370	4·382	4·393	4·405	4·416	4·427	4·438	4·450	4·461	1	2	3	5	6	7	8	9	10
20	4·472	4·483	4·494	4·506	4·517	4·528	4·539	4·550	4·561	4·572	1	2	3	4	6	7	8	9	10
21	4·583	4·593	4·604	4·615	4·626	4·637	4·648	4·658	4·669	4·680	1	2	3	4	5	6	8	9	10
22	4·690	4·701	4·712	4·722	4·733	4·743	4·754	4·764	4·775	4·785	1	2	3	4	5	6	7	8	9
23	4·796	4·806	4·817	4·827	4·837	4·848	4·858	4·868	4·879	4·889	1	2	3	4	5	6	7	8	9
24	4·899	4·909	4·919	4·930	4·940	4·950	4·960	4·970	4·980	4·990	1	2	3	4	5	6	7	8	9
25	5·000	5·010	5·020	5·030	5·040	5·050	5·060	5·070	5·079	5·089	1	2	3	4	5	6	7	8	9
26	5·099	5·109	5·119	5·128	5·138	5·148	5·158	5·167	5·177	5·187	1	2	3	4	5	6	7	8	9
27	5·196	5·206	5·215	5·225	5·235	5·244	5·254	5·263	5·273	5·282	1	2	3	4	5	6	7	8	9
28	5·292	5·301	5·310	5·320	5·329	5·339	5·348	5·357	5·367	5·376	1	2	3	4	5	6	7	7	8
29	5·385	5·394	5·404	5·413	5·422	5·431	5·441	5·450	5·459	5·468	1	2	3	4	5	5	6	7	8
30	5·477	5·486	5·495	5·505	5·514	5·523	5·532	5·541	5·550	5·559	1	2	3	4	4	5	6	7	8
31	5·568	5·577	5·586	5·595	5·604	5·612	5·621	5·630	5·639	5·648	1	2	3	3	4	5	6	7	8
32	5·657	5·666	5·675	5·683	5·692	5·701	5·710	5·718	5·727	5·736	1	2	3	3	4	5	6	7	8
33	5·745	5·753	5·762	5·771	5·779	5·788	5·797	5·805	5·814	5·822	1	2	3	3	4	5	6	7	8
34	5·831	5·840	5·848	5·857	5·865	5·874	5·882	5·891	5·899	5·908	1	2	3	3	4	5	6	7	8
35	5·916	5·925	5·933	5·941	5·950	5·958	5·967	5·975	5·983	5·992	1	2	2	3	4	5	6	7	8
36	6·000	6·008	6·017	6·025	6·033	6·042	6·050	6·058	6·066	6·075	1	2	2	3	4	5	6	7	7
37	6·083	6·091	6·099	6·107	6·116	6·124	6·132	6·140	6·148	6·156	1	2	2	3	4	5	6	7	7
38	6·164	6·173	6·181	6·189	6·197	6·205	6·213	6·221	6·229	6·237	1	2	2	3	4	5	6	6	7
39	6·245	6·253	6·261	6·269	6·277	6·285	6·293	6·301	6·309	6·317	1	2	2	3	4	5	6	6	7
40	6·325	6·332	6·340	6·348	6·356	6·364	6·372	6·380	6·387	6·395	1	2	2	3	4	5	6	6	7
41	6·403	6·411	6·419	6·427	6·434	6·442	6·450	6·458	6·465	6·473	1	2	2	3	4	5	5	6	7
42	6·481	6·488	6·496	6·504	6·512	6·519	6·527	6·535	6·542	6·550	1	2	2	3	4	5	5	6	7
43	6·557	6·565	6·573	6·580	6·588	6·595	6·603	6·611	6·618	6·626	1	2	2	3	4	5	5	6	7
44	6·633	6·641	6·648	6·656	6·663	6·671	6·678	6·686	6·693	6·701	1	2	2	3	4	5	5	6	7
45	6·708	6·716	6·723	6·731	6·738	6·745	6·753	6·760	6·768	6·775	1	1	2	3	4	4	5	6	7
46	6·782	6·790	6·797	6·804	6·812	6·819	6·826	6·834	6·841	6·848	1	1	2	3	4	4	5	6	7
47	6·856	6·863	6·870	6·877	6·885	6·892	6·899	6·907	6·914	6·921	1	1	2	3	4	4	5	6	7
48	6·928	6·935	6·943	6·950	6·957	6·964	6·971	6·979	6·986	6·993	1	1	2	3	4	4	5	6	6
49	7·000	7·007	7·014	7·021	7·029	7·036	7·043	7·050	7·057	7·064	1	1	2	3	4	4	5	6	6
50	7·071	7·078	7·085	7·092	7·099	7·106	7·113	7·120	7·127	7·134	1	1	2	3	4	4	5	6	6
51	7·141	7·148	7·155	7·162	7·169	7·176	7·183	7·190	7·197	7·204	1	1	2	3	4	4	5	6	6
52	7·211	7·218	7·225	7·232	7·239	7·246	7·253	7·259	7·266	7·273	1	1	2	3	3	4	5	6	6
53	7·280	7·287	7·294	7·301	7·308	7·314	7·321	7·328	7·335	7·342	1	1	2	3	3	4	5	5	6
54	7·348	7·355	7·362	7·369	7·376	7·382	7·389	7·396	7·403	7·409	1	1	2	3	3	4	5	5	6

SQUARE ROOTS. FROM 10 TO 100

	0	1	2	3	4	5	6	7	8	9	Mean Differences 1	2	3	4	5	6	7	8	9
55	7·416	7·423	7·430	7·436	7·443	7·450	7·457	7·463	7·470	7·477	1	1	2	3	3	4	5	5	6
56	7·483	7·490	7·497	7·503	7·510	7·517	7·523	7·530	7·537	7·543	1	1	2	3	3	4	5	5	6
57	7·550	7·556	7·563	7·570	7·576	7·583	7·589	7·596	7·603	7·609	1	1	2	3	3	4	5	5	6
58	7·616	7·622	7·629	7·635	7·642	7·649	7·655	7·662	7·668	7·675	1	1	2	3	3	4	5	5	6
59	7·681	7·688	7·694	7·701	7·707	7·714	7·720	7·727	7·733	7·740	1	1	2	3	3	4	4	5	6
60	7·746	7·752	7·759	7·765	7·772	7·778	7·785	7·791	7·797	7·804	1	1	2	3	3	4	4	5	6
61	7·810	7·817	7·823	7·829	7·836	7·842	7·849	7·855	7·861	7·868	1	1	2	3	3	4	4	5	6
62	7·874	7·880	7·887	7·893	7·899	7·906	7·912	7·918	7·925	7·931	1	1	2	3	3	4	4	5	6
63	7·937	7·944	7·950	7·956	7·962	7·969	7·975	7·981	7·987	7·994	1	1	2	3	3	4	4	5	6
64	8·000	8·006	8·012	8·019	8·025	8·031	8·037	8·044	8·050	8·056	1	1	2	2	3	4	4	5	6
65	8·062	8·068	8·075	8·081	8·087	8·093	8·099	8·106	8·112	8·118	1	1	2	2	3	4	4	5	6
66	8·124	8·130	8·136	8·142	8·149	8·155	8·161	8·167	8·173	8·179	1	1	2	2	3	4	4	5	5
67	8·185	8·191	8·198	8·204	8·210	8·216	8·222	8·228	8·234	8·240	1	1	2	2	3	4	4	5	5
68	8·246	8·252	8·258	8·264	8·270	8·276	8·283	8·289	8·295	8·301	1	1	2	2	3	4	4	5	5
69	8·307	8·313	8·319	8·325	8·331	8·337	8·343	8·349	8·355	8·361	1	1	2	2	3	4	4	5	5
70	8·367	8·373	8·379	8·385	8·390	8·396	8·402	8·408	8·414	8·420	1	1	2	2	3	4	4	5	5
71	8·426	8·432	8·438	8·444	8·450	8·456	8·462	8·468	8·473	8·479	1	1	2	2	3	4	4	5	5
72	8·485	8·491	8·497	8·503	8·509	8·515	8·521	8·526	8·532	8·538	1	1	2	2	3	3	4	5	5
73	8·544	8·550	8·556	8·562	8·567	8·573	8·579	8·585	8·591	8·597	1	1	2	2	3	3	4	5	5
74	8·602	8·608	8·614	8·620	8·626	8·631	8·637	8·643	8·649	8·654	1	1	2	2	3	3	4	5	5
75	8·660	8·666	8·672	8·678	8·683	8·689	8·695	8·701	8·706	8·712	1	1	2	2	3	3	4	5	5
76	8·718	8·724	8·729	8·735	8·741	8·746	8·752	8·758	8·764	8·769	1	1	2	2	3	3	4	5	5
77	8·775	8·781	8·786	8·792	8·798	8·803	8·809	8·815	8·820	8·826	1	1	2	2	3	3	4	4	5
78	8·832	8·837	8·843	8·849	8·854	8·860	8·866	8·871	8·877	8·883	1	1	2	2	3	3	4	4	5
79	8·888	8·894	8·899	8·905	8·911	8·916	8·922	8·927	8·933	8·939	1	1	2	2	3	3	4	4	5
80	8·944	8·950	8·955	8·961	8·967	8·972	8·978	8·983	8·989	8·994	1	1	2	2	3	3	4	4	5
81	9·000	9·006	9·011	9·017	9·022	9·028	9·033	9·039	9·044	9·050	1	1	2	2	3	3	4	4	5
82	9·055	9·061	9·066	9·072	9·077	9·083	9·088	9·094	9·099	9·105	1	1	2	2	3	3	4	4	5
83	9·110	9·116	9·121	9·127	9·132	9·138	9·143	9·149	9·154	9·160	1	1	2	2	3	3	4	4	5
84	9·165	9·171	9·176	9·182	9·187	9·192	9·198	9·203	9·209	9·214	1	1	2	2	3	3	4	4	5
85	9·220	9·225	9·230	9·236	9·241	9·247	9·252	9·257	9·263	9·268	1	1	2	2	3	3	4	4	5
86	9·274	9·279	9·284	9·290	9·295	9·301	9·306	9·311	9·317	9·322	1	1	2	2	3	3	4	4	5
87	9·327	9·333	9·338	9·343	9·349	9·354	9·359	9·365	9·370	9·375	1	1	2	2	3	3	4	4	5
88	9·381	9·386	9·391	9·397	9·402	9·407	9·413	9·418	9·423	9·429	1	1	2	2	3	3	4	4	5
89	9·434	9·439	9·445	9·450	9·455	9·460	9·466	9·471	9·476	9·482	1	1	2	2	3	3	4	4	5
90	9·487	9·492	9·497	9·503	9·508	9·513	9·518	9·524	9·529	9·534	1	1	2	2	3	3	4	4	5
91	9·539	9·545	9·550	9·555	9·560	9·566	9·571	9·576	9·581	9·586	1	1	2	2	3	3	4	4	5
92	9·592	9·597	9·602	9·607	9·612	9·618	9·623	9·628	9·633	9·638	1	1	2	2	3	3	4	4	5
93	9·644	9·649	9·654	9·659	9·664	9·670	9·675	9·680	9·685	9·690	1	1	2	2	3	3	4	4	5
94	9·695	9·701	9·706	9·711	9·716	9·721	9·726	9·731	9·737	9·742	1	1	2	2	3	3	4	4	5
95	9·747	9·752	9·757	9·762	9·767	9·772	9·778	9·783	9·788	9·793	1	1	2	2	3	3	4	4	5
96	9·798	9·803	9·808	9·813	9·818	9·823	9·829	9·834	9·839	9·844	1	1	2	2	3	3	4	4	5
97	9·849	9·854	9·859	9·864	9·869	9·874	9·879	9·884	9·889	9·894	1	1	1	2	3	3	4	4	5
98	9·899	9·905	9·910	9·915	9·920	9·925	9·930	9·935	9·940	9·945	0	1	1	2	2	3	3	4	4
99	9·950	9·955	9·960	9·965	9·970	9·975	9·980	9·985	9·990	9·995	0	1	1	2	2	3	3	4	4

RECIPROCALS OF NUMBERS. FROM 1 TO 10

[*Numbers in difference columns to be subtracted, not added.*]

	0	1	2	3	4	5	6	7	8	9	Mean Differences								
											1	2	3	4	5	6	7	8	9
1·0	1·000	9901	9804	9709	9615	9524	9434	9346	9259	9174									
1·1	·9091	9009	8929	8850	8772	8696	8621	8547	8475	8403									
1·2	·8333	8264	8197	8130	8065	8000	7937	7874	7813	7752									
1·3	·7692	7634	7576	7519	7463	7407	7353	7299	7246	7194									
1·4	·7143	7092	7042	6993	6944	6897	6849	6803	6757	6711	5	10	14	19	24	29	33	38	43
1·5	·6667	6623	6579	6536	6494	6452	6410	6369	6329	6289	4	8	13	17	21	25	29	33	38
1·6	·6250	6211	6173	6135	6098	6061	6024	5988	5952	5917	4	7	11	15	18	22	26	29	33
1·7	·5882	5848	5814	5780	5747	5714	5682	5650	5618	5587	3	6	10	13	16	20	23	26	29
1·8	·5556	5525	5495	5464	5435	5405	5376	5348	5319	5291	3	6	9	12	15	17	20	23	26
1·9	·5263	5236	5208	5181	5155	5128	5102	5076	5051	5025	3	5	8	11	13	16	18	21	24
2·0	·5000	4975	4950	4926	4902	4878	4854	4831	4808	4785	2	5	7	10	12	14	17	19	21
2·1	·4762	4739	4717	4695	4673	4651	4630	4608	4587	4566	2	4	7	9	11	13	15	17	20
2·2	·4545	4525	4505	4484	4464	4444	4425	4405	4386	4367	2	4	6	8	10	12	14	16	18
2·3	·4348	4329	4310	4292	4274	4255	4237	4219	4202	4184	2	4	5	7	9	11	13	14	16
2·4	·4167	4149	4132	4115	4098	4082	4065	4049	4032	4016	2	3	5	7	8	10	12	13	15
2·5	·4000	3984	3968	3953	3937	3922	3906	3891	3876	3861	2	3	5	6	8	9	11	12	14
2·6	·3846	3831	3817	3802	3788	3774	3759	3745	3731	3717	1	3	4	6	7	8	10	11	13
2·7	·3704	3690	3676	3663	3650	3636	3623	3610	3597	3584	1	3	4	5	7	8	9	11	12
2·8	·3571	3559	3546	3534	3521	3509	3497	3484	3472	3460	1	2	4	5	6	7	9	10	11
2·9	·3448	3436	3425	3413	3401	3390	3378	3367	3356	3344	1	2	3	5	6	7	8	9	10
3·0	·3333	3322	3311	3300	3289	3279	3268	3257	3247	3236	1	2	3	4	5	6	7	9	10
3·1	·3226	3215	3205	3195	3185	3175	3165	3155	3145	3135	1	2	3	4	5	6	7	8	9
3·2	·3125	3115	3106	3096	3086	3077	3067	3058	3049	3040	1	2	3	4	5	6	7	8	9
3·3	·3030	3021	3012	3003	2994	2985	2976	2967	2959	2950	1	2	3	4	4	5	6	7	8
3·4	·2941	2933	2924	2915	2907	2899	2890	2882	2874	2865	1	2	3	3	4	5	6	7	8
3·5	·2857	2849	2841	2833	2825	2817	2809	2801	2793	2786	1	2	2	3	4	5	6	6	7
3·6	·2778	2770	2762	2755	2747	2740	2732	2725	2717	2710	1	2	2	3	4	5	5	6	7
3·7	·2703	2695	2688	2681	2674	2667	2660	2653	2646	2639	1	1	2	3	4	4	5	6	6
3·8	·2632	2625	2618	2611	2604	2597	2591	2584	2577	2571	1	1	2	3	3	4	5	5	6
3·9	·2564	2558	2551	2545	2538	2532	2525	2519	2513	2506	1	1	2	3	3	4	4	5	6
4·0	·2500	2494	2488	2481	2475	2469	2463	2457	2451	2445	1	1	2	2	3	4	4	5	5
4·1	·2439	2433	2427	2421	2415	2410	2404	2398	2392	2387	1	1	2	2	3	3	4	5	5
4·2	·2381	2375	2370	2364	2358	2353	2347	2342	2336	2331	1	1	2	2	3	3	4	4	5
4·3	·2326	2320	2315	2309	2304	2299	2294	2288	2283	2278	1	1	2	2	3	3	4	4	5
4·4	·2273	2268	2262	2257	2252	2247	2242	2237	2232	2227	1	1	2	2	3	3	4	4	5
4·5	·2222	2217	2212	2208	2203	2198	2193	2188	2183	2179	0	1	1	2	2	3	3	4	4
4·6	·2174	2169	2165	2160	2155	2151	2146	2141	2137	2132	0	1	1	2	2	3	3	4	4
4·7	·2128	2123	2119	2114	2110	2105	2101	2096	2092	2088	0	1	1	2	2	3	3	4	4
4·8	·2083	2079	2075	2070	2066	2062	2058	2053	2049	2045	0	1	1	2	2	3	3	3	4
4·9	·2041	2037	2033	2028	2024	2020	2016	2012	2008	2004	0	1	1	2	2	2	3	3	4
5·0	·2000	1996	1992	1988	1984	1980	1976	1972	1969	1965	0	1	1	2	2	2	3	3	4
5·1	·1961	1957	1953	1949	1946	1942	1938	1934	1931	1927	0	1	1	2	2	2	3	3	3
5·2	·1923	1919	1916	1912	1908	1905	1901	1898	1894	1890	0	1	1	1	2	2	3	3	3
5·3	·1887	1883	1880	1876	1873	1869	1866	1862	1859	1855	0	1	1	1	2	2	2	3	3
5·4	·1852	1848	1845	1842	1838	1835	1832	1828	1825	1821	0	1	1	1	2	2	2	3	3

RECIPROCALS OF NUMBERS. From 1 to 10

[*Numbers in difference columns to be subtracted, not added.*]

	0	1	2	3	4	5	6	7	8	9	Mean Differences 1	2	3	4	5	6	7	8	9
5·5	·1818	1815	1812	1808	1805	1802	1799	1795	1792	1789	0	1	1	1	2	2	2	3	3
5·6	·1786	1783	1779	1776	1773	1770	1767	1764	1761	1757	0	1	1	1	2	2	2	3	3
5·7	·1754	1751	1748	1745	1742	1739	1736	1733	1730	1727	0	1	1	1	1	2	2	2	3
5·8	·1724	1721	1718	1715	1712	1709	1706	1704	1701	1698	0	1	1	1	1	2	2	2	3
5·9	·1695	1692	1689	1686	1684	1681	1678	1675	1672	1669	0	1	1	1	1	2	2	2	3
6·0	·1667	1664	1661	1658	1656	1653	1650	1647	1645	1642	0	1	1	1	1	2	2	2	3
6·1	·1639	1637	1634	1631	1629	1626	1623	1621	1618	1616	0	1	1	1	1	2	2	2	2
6·2	·1613	1610	1608	1605	1603	1600	1597	1595	1592	1590	0	1	1	1	1	2	2	2	2
6·3	·1587	1585	1582	1580	1577	1575	1572	1570	1567	1565	0	0	1	1	1	1	2	2	2
6·4	·1562	1560	1558	1555	1553	1550	1548	1546	1543	1541	0	0	1	1	1	1	2	2	2
6·5	·1538	1536	1534	1531	1529	1527	1524	1522	1520	1517	0	0	1	1	1	1	2	2	2
6·6	·1515	1513	1511	1508	1506	1504	1502	1499	1497	1495	0	0	1	1	1	1	2	2	2
6·7	·1493	1490	1488	1486	1484	1481	1479	1477	1475	1473	0	0	1	1	1	1	2	2	2
6·8	·1471	1468	1466	1464	1462	1460	1458	1456	1453	1451	0	0	1	1	1	1	2	2	2
6·9	·1449	1447	1445	1443	1441	1439	1437	1435	1433	1431	0	0	1	1	1	1	2	2	2
7·0	·1429	1427	1425	1422	1420	1418	1416	1414	1412	1410	0	0	1	1	1	1	1	2	2
7·1	·1408	1406	1404	1403	1401	1399	1397	1395	1393	1391	0	0	1	1	1	1	1	2	2
7·2	·1389	1387	1385	1383	1381	1379	1377	1376	1374	1372	0	0	1	1	1	1	1	2	2
7·3	·1370	1368	1366	1364	1362	1361	1359	1357	1355	1353	0	0	1	1	1	1	1	2	2
7·4	·1351	1350	1348	1346	1344	1342	1340	1339	1337	1335	0	0	1	1	1	1	1	1	2
7·5	·1333	1332	1330	1328	1326	1325	1323	1321	1319	1318	0	0	1	1	1	1	1	1	2
7·6	·1316	1314	1312	1311	1309	1307	1305	1304	1302	1300	0	0	1	1	1	1	1	1	2
7·7	·1299	1297	1295	1294	1292	1290	1289	1287	1285	1284	0	0	0	1	1	1	1	1	1
7·8	·1282	1280	1279	1277	1276	1274	1272	1271	1269	1267	0	0	0	1	1	1	1	1	1
7·9	·1266	1264	1263	1261	1259	1258	1256	1255	1253	1252	0	0	0	1	1	1	1	1	1
8·0	·1250	1248	1247	1245	1244	1242	1241	1239	1238	1236	0	0	0	1	1	1	1	1	1
8·1	·1235	1233	1232	1230	1229	1227	1225	1224	1222	1221	0	0	0	1	1	1	1	1	1
8·2	·1220	1218	1217	1215	1214	1212	1211	1209	1208	1206	0	0	0	1	1	1	1	1	1
8·3	·1205	1203	1202	1200	1199	1198	1196	1195	1193	1192	0	0	0	1	1	1	1	1	1
8·4	·1190	1189	1188	1186	1185	1183	1182	1181	1179	1178	0	0	0	1	1	1	1	1	1
8·5	·1176	1175	1174	1172	1171	1170	1168	1167	1166	1164	0	0	0	1	1	1	1	1	1
8·6	·1163	1161	1160	1159	1157	1156	1155	1153	1152	1151	0	0	0	1	1	1	1	1	1
8·7	·1149	1148	1147	1145	1144	1143	1142	1140	1139	1138	0	0	0	1	1	1	1	1	1
8·8	·1136	1135	1134	1133	1131	1130	1129	1127	1126	1125	0	0	0	1	1	1	1	1	1
8·9	·1124	1122	1121	1120	1119	1117	1116	1115	1114	1112	0	0	0	1	1	1	1	1	1
9·0	·1111	1110	1109	1107	1106	1105	1104	1103	1101	1100	0	0	0	1	1	1	1	1	1
9·1	·1099	1098	1096	1095	1094	1093	1092	1090	1089	1088	0	0	0	0	1	1	1	1	1
9·2	·1087	1086	1085	1083	1082	1081	1080	1079	1078	1076	0	0	0	0	1	1	1	1	1
9·3	·1075	1074	1073	1072	1071	1070	1068	1067	1066	1065	0	0	0	0	1	1	1	1	1
9·4	·1064	1063	1062	1060	1059	1058	1057	1056	1055	1054	0	0	0	0	1	1	1	1	1
9·5	·1053	1052	1050	1049	1048	1047	1046	1045	1044	1043	0	0	0	0	1	1	1	1	1
9·6	·1042	1041	1039	1038	1037	1036	1035	1034	1033	1032	0	0	0	0	1	1	1	1	1
9·7	·1031	1030	1029	1028	1027	1026	1025	1024	1022	1021	0	0	0	0	1	1	1	1	1
9·8	·1020	1019	1018	1017	1016	1015	1014	1013	1012	1011	0	0	0	0	1	1	1	1	1
9·9	·1010	1009	1008	1007	1006	1005	1004	1003	1002	1001	0	0	0	0	0	1	1	1	1

EXPONENTIAL AND HYPERBOLIC FUNCTIONS

x	e^x	e^{-x}	sinh x	cosh x	x	e^x	e^{-x}	sinh x	cosh x
·02	1·0202	·9802	·0200	1·0002	**1·0**	2·7183	·3679	1·1752	1·5431
·04	1·0408	·9608	·0400	1·0008	1·1	3·0042	·3329	1·3356	1·6685
·06	1·0618	·9418	·0600	1·0018	1·2	3·3201	·3012	1·5095	1·8107
·08	1·0833	·9231	·0801	1·0032	1·3	3·6693	·2725	1·6984	1·9709
·10	1·1052	·9048	·1002	1·0050	1·4	4·0552	·2466	1·9043	2·1509
·11	1·1163	·8958	·1102	1·0061	**1·5**	4·4817	·2231	2·1293	2·3524
·12	1·1275	·8869	·1203	1·0072	1·6	4·9530	·2019	2·3756	2·5775
·13	1·1388	·8781	·1304	1·0085	1·7	5·4739	·1827	2·6456	2·8283
·14	1·1503	·8694	·1405	1·0098	1·8	6·0497	·1653	2·9422	3·1075
·15	1·1618	·8607	·1506	1·0113	1·9	6·6859	·1496	3·2682	3·4177
·16	1·1735	·8521	·1607	1·0128	**2·0**	7·3891	·1353	3·6269	3·7622
·17	1·1853	·8437	·1708	1·0145	2·1	8·1662	·1225	4·0219	4·1443
·18	1·1972	·8353	·1810	1·0162	2·2	9·0250	·1108	4·4571	4·5679
·19	1·2092	·8270	·1911	1·0181	2·3	9·9742	·1003	4·9370	5·0372
·20	1·2214	·8187	·2013	1·0201	2·4	11·023	·0907	5·4662	5·5569
·21	1·2337	·8106	·2115	1·0221	**2·5**	12·182	·0821	6·0502	6·1323
·22	1·2461	·8025	·2218	1·0243	2·6	13·464	·0743	6·6947	6·7690
·23	1·2586	·7945	·2320	1·0266	2·7	14·880	·0672	7·4063	7·4735
·24	1·2712	·7866	·2423	1·0289	2·8	16·445	·0608	8·1919	8·2527
·25	1·2840	·7788	·2526	1·0314	2·9	18·174	·0550	9·0596	9·1146
·26	1·2969	·7711	·2629	1·0340	**3·0**	20·085	·0498	10·018	10·068
·27	1·3100	·7634	·2733	1·0367	3·1	22·198	·0450	11·076	11·121
·28	1·3231	·7558	·2837	1·0395	3·2	24·532	·0408	12·246	12·287
·29	1·3364	·7483	·2941	1·0423	3·3	27·113	·0369	13·538	13·575
·30	1·3499	·7408	·3045	1·0453	3·4	29·964	·0334	14·965	14·999
·31	1·3634	·7335	·3150	1·0484	**3·5**	33·115	·0302	16·543	16·573
·32	1·3771	·7261	·3255	1·0516	3·6	36·598	·0273	18·285	18·313
·33	1·3910	·7189	·3360	1·0550	3·7	40·447	·0247	20·211	20·236
·34	1·4050	·7118	·3466	1·0584	3·8	44·701	·0224	22·339	22·362
·35	1·4191	·7047	·3572	1·0619	3·9	49·402	·0202	24·691	24·711
·36	1·4333	·6977	·3678	1·0655	**4·0**	54·598	·0183	27·290	27·308
·37	1·4477	·6907	·3785	1·0692	4·1	60·340	·0166	30·162	30·178
·38	1·4623	·6839	·3892	1·0731	4·2	66·686	·0150	33·336	33·351
·39	1·4770	·6771	·4000	1·0770	4·3	73·700	·0136	36·843	36·857
·40	1·4918	·6703	·4107	1·0811	4·4	81·451	·0123	40·719	40·732
·41	1·5068	·6636	·4216	1·0852	**4·5**	90·017	·0111	45·003	45·014
·42	1·5220	·6570	·4325	1·0895	4·6	99·484	·0100	49·737	49·747
·43	1·5373	·6505	·4434	1·0939	4·7	109·95	·00910	54·969	54·978
·44	1·5527	·6440	·4543	1·0984	4·8	121·51	·00823	60·751	60·759
·45	1·5683	·6376	·4653	1·1030	4·9	134·29	·00745	67·141	67·149
·46	1·5841	·6313	·4764	1·1077	**5·0**	148·41	·00674	74·203	74·210
·47	1·6000	·6250	·4875	1·1125	5·1	164·02	·00610	82·008	82·014
·48	1·6161	·6188	·4986	1·1174	5·2	181·27	·00552	90·633	90·639
·49	1·6323	·6126	·5098	1·1225	5·3	200·34	·00499	100·17	100·17
·50	1·6487	·6065	·5211	1·1276	5·4	221·41	·00452	110·70	110·71
·60	1·8221	·5488	·6367	1·1855	**5·5**	244·69	·00409	122·34	122·35
·70	2·0138	·4966	·7586	1·2552	5·6	270·43	·00370	135·21	135·21
·80	2·2255	·4493	·8881	1·3374	5·7	298·87	·00335	149·43	149·43
·90	2·4596	·4066	1·0265	1·4331	5·8	330·30	·00303	165·15	165·15
					5·9	365·04	·00274	182·52	182·52
					6·0	403·43	·00248	201·71	201·72

$\cosh x = \frac{1}{2}(e^x + e^{-x})$, $\sinh x = \frac{1}{2}(e^x - e^{-x})$.

USE OF FOUR-FIGURE TABLES

To find the Logarithm of a given Number

The logarithm of a number consists of an integral part called the **characteristic or index** and a decimal part the **mantissa.**

Referring to the Tables on pages 4-5, 6-7, it will be seen that **rows of** four figures are placed against the numbers from 10 to 99; these four figures form the **mantissa** of a logarithm; the **index, or characteristic,** has to be supplied in each case.

The characteristic of any number greater than unity is positive and is less by one than the number of figures to the left of the decimal point. The characteristic of a number less than unity is negative and is greater by one than the number of zeros which follow the decimal point.

Characteristic of		6254 is 3.	Characteristic of		625400 is 5.
,,	,,	62·54 is 1.	,,	,,	6·254 is 0.
,,	,,	0·6254 is $\bar{1}$.	,,	,,	0·06254 is $\bar{2}$.
,,	,,	0·0006254 is $\bar{4}$.	,,	,,	0·00006254 is $\bar{5}$.

The latter are usually designated as *bar* 1, *bar* 2, *bar* 5, etc.

Logarithm of a number. The first two significant figures of the number are found at the extreme left of the table.

Thus, to find log 62.

In the column opposite the number 62 is found the mantissa 7924.

Hence log 62 = 1·7924.

Ex. 1. Find log 625.

Referring to the tables: find the first two digits of the number at the extreme left of the table, then passing along the horizontal line to the number in the vertical column headed by the third figure 5, we obtain the mantissa 7959.

$$\therefore \log 625 = 2{\cdot}7959.$$

The logarithm of a number consisting of four figures is found by using the mean difference columns at the extreme right.

Ex. 2. Find log 62·54.

$$\begin{aligned} \text{Mantissa of log } 625 &= \cdot 7959 \\ \text{Mean diff. for } 4 &= \underline{\quad\;\; 3} \\ \therefore \log 62{\cdot}54 &= 1{\cdot}7962 \end{aligned}$$

Similarly log 6254 = 3·7962 ; log 0·006254 = $\bar{3}$·7962.

Antilogarithms. The number corresponding to a given logarithm is obtained by using the table of antilogarithms.

Ex. 3. Find the number whose log is 1·5958.

From tables, Antilog 595 = 3936
Mean diff. for 8 = 7 (to be added)

$$\overline{3943}$$

Hence the number whose log is 1·5958 is 39·43.

Similarly the number whose log is $\bar{4}$·5958 is 0·0003943.

$\bar{4}$·5958, in which the 4 only is negative, is read as bar 4, point 5, 9, 5, 8.

Multiplication and division. Multiplication of two or more numbers is effected by obtaining the sum, and division by the difference of the logarithms of the numbers. The number (obtained from the table of antilogarithms) corresponding to the sum, is the product, and the difference is the quotient.

The use of logarithms and arrangement of the work may be seen from the following examples :

Ex. 4. Multiply and divide 42·97 by 0·00258.

$$\begin{aligned} \log 42{\cdot}97 &= 1{\cdot}6332 \\ \log 0{\cdot}00258 &= \bar{3}{\cdot}4116 \\ \text{Sum} &= \bar{1}{\cdot}0448 = \log 0{\cdot}1109 \\ \text{Difference} &= 4{\cdot}2216 = \log 16650. \end{aligned}$$

The **sum** is obtained by noting that 1 carried from the mantissa gives +2 ; then 2 and $\bar{3} = \bar{1}$.

In subtraction, it is advisable to alter (mentally) the signs of the lower figures and add. Thus $\bar{3}$ becomes +3 and **difference** = 4·2216.

Hence 42·97 × 0·00258 = 0·1109 ; 42·97 ÷ 0·00258 = 16650.

Ex. 5. Multiply and divide 0·2543 by 0·09027.

$$\begin{aligned} \log 0{\cdot}2543 &= \bar{1}{\cdot}4053 \\ \log 0{\cdot}09027 &= \bar{2}{\cdot}9555 \\ \text{Sum} &= \bar{2}{\cdot}3608 = \log 0{\cdot}02295 \\ \text{Difference} &= 0{\cdot}4498 = \log 2{\cdot}817. \end{aligned}$$

The sum of the negative indices is $\bar{3}$, but 1 carried from the mantissa makes the sum to be $\bar{2}$.

∴ 0·2543 × 0·09027 = 0·02295 ; 0·2543 ÷ 0·09027 = 2·817.

Ex. 6. Compute $84{\cdot}05 \times 0{\cdot}1357 \times 1{\cdot}163$.

$$\begin{aligned} \log 84{\cdot}05 &= 1{\cdot}9246 \\ \log 0{\cdot}1357 &= \bar{1}{\cdot}1325 \\ \log 1{\cdot}163 &= 0{\cdot}0656 \\ \hline \text{log of product} &= 1{\cdot}1227 \end{aligned}$$

$\therefore$ product $= 13{\cdot}26$.

Ex. 7. Evaluate $\dfrac{9{\cdot}753 \times 10{\cdot}34 \times 0{\cdot}9252}{1{\cdot}453 \times 3{\cdot}142}$.

$$\begin{aligned} \log 9{\cdot}753 &= 0{\cdot}9891 \\ \log 10{\cdot}34 &= 1{\cdot}0145 \\ \log 0{\cdot}9252 &= \bar{1}{\cdot}9662 \\ \hline \text{log numerator} &= 1{\cdot}9698 \\ & 0{\cdot}6595 \\ \hline \text{log result} &= 1{\cdot}3103 \end{aligned}$$

$$\begin{aligned} \log 1{\cdot}453 &= 0{\cdot}1623 \\ \log 3{\cdot}142 &= 0{\cdot}4972 \\ \hline \text{log denominator} &= 0{\cdot}6595 \end{aligned}$$

$\therefore$ Result $= 20{\cdot}43$.

Involution and evolution. The square, cube, or other power of a number is found by multiplying the logarithm of the number by the index, then referring to the tables for the required value. When the logarithm of a number is partly negative and partly positive, the simplest plan to obtain a root of a number is to make the index exactly divisible by the given value of the root, and add compensating figures to the mantissa, as in the following examples :

Ex. 8. Compute (*a*) the square, (*b*) the cube, (*c*) the square root, (*d*) the cube root of $0{\cdot}6254$.

(*a*) $\log 0{\cdot}6254 = \bar{1}{\cdot}7962$,

$\log (0{\cdot}6254)^2 = 2 \times \bar{1}{\cdot}7962 = \bar{1}{\cdot}5924 = \log 0{\cdot}3912$.

(*b*) $\log (0{\cdot}6254)^3 = 3 \times \bar{1}{\cdot}7962 = \bar{1}{\cdot}3886 = \log 0{\cdot}2446$.

(*c*) $\log \sqrt{(0{\cdot}6254)} = \frac{1}{2}(\bar{2} + 1{\cdot}7962) = \bar{1}{\cdot}8981 = \log 0{\cdot}7909$.

(*d*) $\log \sqrt[3]{(0{\cdot}6254)} = \frac{1}{3}(\bar{3} + 2{\cdot}7962) = \bar{1}{\cdot}9321 = \log 0{\cdot}8553$.

$\therefore (0{\cdot}6254)^2 = 0{\cdot}3912$; $(0{\cdot}6254)^3 = 0{\cdot}2446$; $\sqrt{0{\cdot}6254} = 0{\cdot}7909$;

$\sqrt[3]{0{\cdot}6254} = 0{\cdot}8553$.

In (*c*) it is necessary to divide $\bar{1}$ by 2, to keep the decimal part positive. $\bar{2} + 1$ is written for $\bar{1}$, so that the negative part can be divided exactly by 2. In (*d*) $\bar{3} + 2$ is used to replace $\bar{1}$. Both (*c*) and (*d*) should be carried out mentally.

Ex. 9. Evaluate (*a*) $(372{\cdot}4)^{2{\cdot}43}$. (*b*) $(0{\cdot}3724)^{2{\cdot}43}$. (*c*) $(0{\cdot}3724)^{-2{\cdot}43}$.

(*a*) $\log 372{\cdot}4 = 2{\cdot}5710$.

$$\log (372{\cdot}4)^{2{\cdot}43} = 2{\cdot}43 \times 2{\cdot}5710 = 6{\cdot}2475 = \log 1768000;$$

$$\therefore (372{\cdot}4)^{2{\cdot}43} = 1768000.$$

(*b*) $\log (0{\cdot}3724)^{2{\cdot}43} = 2{\cdot}43 \times \bar{1}{\cdot}5710$.

In this case a positive number is multiplied by a number partly positive and partly negative, and either of the two following methods may be used:

(i) By subtraction, $\bar{1}{\cdot}5710$ becomes $-0{\cdot}4290$.

$$-0{\cdot}4290 \times 2{\cdot}43 = -1{\cdot}0425 = \bar{2}{\cdot}9575 = \log 0{\cdot}09067.$$

(ii) We may multiply the two parts separately, and add.

$$\begin{aligned} 0{\cdot}5710 \times 2{\cdot}43 &= \quad 1{\cdot}3875 \\ -1 \times 2{\cdot}43 &= -2{\cdot}43 \\ \hline \text{log of result} &= \quad \bar{2}{\cdot}9575 \end{aligned}$$

$$\therefore \text{Result} = 0{\cdot}09067;$$

$$\therefore (0{\cdot}3724)^{2{\cdot}43} = 0{\cdot}09067.$$

(*c*) $\log (0{\cdot}3724)^{-2{\cdot}43} = -2{\cdot}43 \times \bar{1}{\cdot}5710$.

(i) $\therefore -2{\cdot}43 \times -0{\cdot}4290 = 1{\cdot}0425 = \log 11{\cdot}03.$

(ii)

$$\begin{aligned} 0{\cdot}5710 \times (-2{\cdot}43) &= -1{\cdot}3875 \\ (-1) \times (-2{\cdot}43) &= \quad 2{\cdot}43 \\ \hline \text{log result} &= \quad 1{\cdot}0425 \end{aligned}$$

$$\therefore \text{Result} = 11{\cdot}03.$$

Another method. The last number could be written in the form $\dfrac{1}{(0{\cdot}3724)^{2{\cdot}43}}$. In this case the logarithm of the denominator can be obtained and subtracted from log 1.

Ex. 10. If $pu^{1{\cdot}0646} = 479$, find the value of u when $p = 203$, the value of p when $u = 3{\cdot}5$.

$$u^{1{\cdot}0646} = \tfrac{479}{203} = 2{\cdot}359,$$

$$1{\cdot}0646 \log u = \log 2{\cdot}359,$$

$$\log u = \frac{\log 2{\cdot}359}{1{\cdot}0646} = 0{\cdot}3457;$$

$$\therefore u = 2{\cdot}217.$$

$$p = \frac{479}{(3{\cdot}5)^{1{\cdot}0646}} \text{ or } \log p = \log 479 - 1{\cdot}0646 \log 3{\cdot}5;$$

$$\therefore p = 126{\cdot}3.$$

USE OF FOUR-FIGURE TABLES

Natural sine, cosine or tangent of an angle.

Ex. 11. Find (*a*) sin 37° 22′, (*b*) cos 51° 21′, (*c*) tan 27° 51′.

(*a*) From tables, sin 37° 18′ = 0·6060
Mean diff. for 4′ = 9 (to be added)
∴ sin 37° 22′ = 0·6069

(*b*) cos 51° 18′ = 0·6252
Mean diff. for 3′ = 7 (to be subtracted)
∴ cos 51° 21′ = 0·6245

(*c*) tan 27° 48′ = 0·5272
diff. for 3′ = 11 (to be added)
∴ tan 27° 51′ = 0·5283

To find the angle corresponding to a given sine, cosine or tangent.

Ex. 12. Find the angle of which (*a*) 0·4919 is the sine, (*b*) 0·8134 is the cosine, (*c*) 1·3580 is the tangent.

(*a*) Given value = 0·4919
sin 29° 24′ = 0·4909
Difference = 10

From difference column 10 corresponds to an increase of 4′ in the angle.

Hence the angle is 29° 28′.

(*b*) Given value = 0·8134
cos 35° 30′ = 0·8141
Difference = −7

From difference column, −7 corresponds to an increase of 4′ in the angle.
Hence the angle is 35° 34′.

(*c*) Given values = 1·3580
tan 53° 36′ = 1·3564
16

From difference columns 16 corresponds to an increase of 2′ in the angle, and the angle is 53° 38′.

To find the logarithmic sine, cosine or tangent of an angle.

Ex. 13. Find log sin 35° 21′.

From tables, log sin 35° 18′ = $\bar{1}$·7618
Mean diff. for 3′ = 5 (increase)
$\bar{1}$·7623

Hence log sin 35° 21′ = $\bar{1}$·7623.

The logarithmic cosine and tangent are obtained in a similar manner.

USE OF FOUR-FIGURE TABLES

To find the angle corresponding to a given logarithmic sine, cosine or tangent.

Ex. 14. Find the angle (*a*) whose log sin $=\bar{1}\cdot8234$.

(*b*) whose log tan $=\bar{1}\cdot9686$.

(*a*)

$$\text{Given value} = \bar{1}\cdot8234$$
$$\log \sin 41^\circ 42' = \bar{1}\cdot8230$$
$$4$$

From difference column 4 corresponds to 3′.

$\therefore$ angle $=41^\circ 45'$.

(*b*)

$$\text{Given value} = \bar{1}\cdot9686$$
$$\log \tan 42^\circ 54' = \bar{1}\cdot9681$$
$$5$$

From difference column 5 corresponds to 2′.

$\therefore$ angle $=42^\circ 56'$.

(*c*) Find the angle whose log cos $=\bar{1}\cdot8381$.

$$\text{Given value} = \bar{1}\cdot8381$$
$$\log \cos 46^\circ 30' = \bar{1}\cdot8378$$

Mean diff. = 3 **(to be subtracted)**

From difference column 3 corresponds to 2′.

$\therefore$ angle $=46^\circ 28'$.

(*d*) Find the angle whose log tan $=0\cdot1303$.

$$\text{Given value} = 0\cdot1303$$
$$\log \tan 53^\circ 24' = 0\cdot1292$$

Mean diff. = 11 **(to be added)**

From difference column 11 corresponds to 4′.

$\therefore$ angle $=53^\circ 28'$.